초등 수학
한 권으로

끝

※ 검토해 주신 분들

최현지 선생님 (서울자곡초등학교)
서채은 선생님 (EBS 수학 강사)
이소연 선생님 (L MATH 학원 원장)

한 권으로 초등수학 서술형 끝 12

지은이 나소은 · 넥서스수학교육연구소
펴낸이 임상진
펴낸곳 (주)넥서스

초판 1쇄 발행 2020년 6월 30일
초판 2쇄 발행 2020년 7월 06일

출판신고 1992년 4월 3일 제311-2002-2호
10880 경기도 파주시 지목로 5
Tel (02)330-5500 Fax (02)330-5555

ISBN 979-11-6165-881-0 64410
979-11-6165-869-8 (SET)

생각대로 술술 풀리는

#교과연계 #창의수학 #사고력수학 #스토리텔링

초등수학

한 권으로 서술형 끝

나소은·넥서스수학교육연구소 지음

12

초등수학 6-2 과정

넥서스에듀

<한 권으로 서술형 끝>으로 끊임없는 나의 고민도 끝!

문제를 제대로 읽고 답을 했다고 생각했는데, 쓰다 보니 자꾸만 엉뚱한 답을 하게 돼요.

문제에서 어떠한 정보를 주고 있는지, 최종적으로 무엇을 구해야 하는지 정확하게 파악하는 단계별 훈련이 필요해요.

독서량은 많지만 논리 정연하게 답을 정리하기가 힘들어요.

독서를 통해 어휘력과 문장 이해력을 키웠다면, 생각을 직접 글로 써보는 연습을 해야 해요.

서술형 답을 어떤 것부터 써야 할지 모르겠어요.

문제에서 구하라는 것을 찾기 위해 어떤 조건을 이용하면 될지 짝을 지으면서 "A이므로 B임을 알 수 있다."의 서술 방식을 이용하면 답안 작성의 기본을 익힐 수 있어요.

시험에서 부분 점수를 자꾸 깎이는데요, 어떻게 해야 할까요?

직접 쓴 답안에서 어떤 문장을 꼭 써야 할지, 정답지에서 제공하고 있는 '채점 기준표'를 이용해서 꼼꼼하게 만점 맞기 훈련을 할 수 있어요.
만점은 물론, 창의력 + 사고력 향상도 기대하세요!

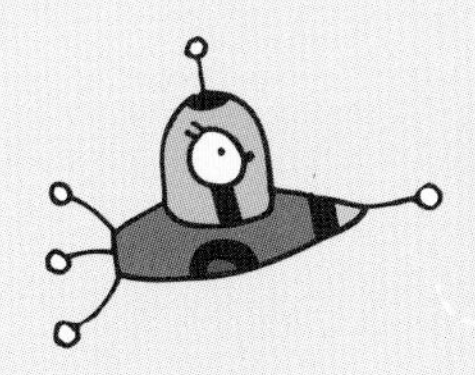

왜 〈한 권으로 서술형 끝〉으로 공부해야 할까요?

서술형 문제는 종합적인 사고 능력을 키우는 데 큰 역할을 합니다. 또한 배운 내용을 총체적으로 검증할 수 있는 유형으로 논리적 사고, 창의력, 표현력 등을 키울 수 있어 많은 선생님들이 학교 시험에서 다양한 서술형 문제를 통해 아이들을 훈련하고 계십니다. 부모님이나 선생님들을 위한 강의를 하다 보면, 학교에서 제일 어려운 시험이 서술형 평가라고 합니다. 어디서부터 어떻게 가르쳐야 할지, 논리력, 사고력과 연결되는 서술형은 어떤 책으로 시작해야 하는지 추천해 달라고 하십니다.

서술형 문제는 창의력과 사고력을 근간으로 만들어진 문제여서 아이들이 스스로 생각해보고 직접 문제에 대한 답을 찾아나갈 수 있는 과정을 훈련하도록 해야 합니다. 서술형 학습 훈련은 먼저 문제를 잘 읽고, 무엇을 풀이 과정 및 답으로 써야 하는지 이해하는 것이 핵심입니다. 그렇다면, 문제도 읽기 전에 힘들어하는 아이들을 위해, 서술형 문제를 완벽하게 풀 수 있도록 훈련하는 학습 과정에는 어떤 것이 있을까요?

문제에서 주어진 정보를 이해하고 단계별로 문제 풀이 및 답을 찾아가는 과정이 필요합니다.
먼저 주어진 정보를 찾고, 그 정보를 이용하여 수학 규칙이나 연산을 활용하여 답을 구해야 합니다.
서술형은 글로 직접 문제 풀이를 써내려 가면서 수학 개념을 이해하고 있는지 잘 정리하는 것이 핵심이어서 주어진 정보를 제대로 찾아 이해하는 것이 가장 중요합니다.

서술형 문제도 단계별로 훈련할 수 있음을 명심하세요! 이러한 과정을 손쉽게 해결할 수 있도록 교과서 내용을 연계하여 집필하였습니다. 자, 그럼 "한 권으로 서술형 끝" 시리즈를 통해 아이들의 창의력 및 사고력 향상을 위해 시작해 볼까요?

EBS 초등수학 강사 **나소은**

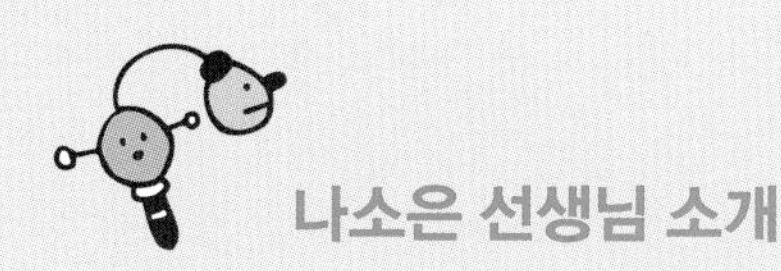

나소은 선생님 소개

- (주)아이눈 에듀 대표
- EBS 초등수학 강사
- 좋은책신사고 쎈닷컴 강사
- 아이스크림 홈런 수학 강사
- 천재교육 밀크티 초등 강사
- 교원, 대교, 푸르넷, 에듀왕 수학 강사
- Qook TV 초등 강사
- 방과후교육연구소 수학과 책임
- 행복한 학교(재) 수학과 책임
- 여성능력개발원 수학지도사 책임 강사

구성 및 특징

초등수학 서술형의 끝을 향해
여행을 떠나볼까요?

STEP 1 대표 문제 맛보기

핵심유형 1 분자끼리 나누어떨어지는 (분수)÷(분수)

STEP 1 대표 문제 맛보기

탄산음료 $\frac{15}{17}$ L를 한 컵에 $\frac{3}{17}$ L씩 똑같이 나누어 담으려고 합니다. 나누어 담을 수 있는 컵의 수는 몇 개인지 풀이 과정을 쓰고, 답을 구하세요.

처음이니까 서술형 답을
어떻게 쓰는지 5단계로
정리해서 알려줄게요!
교과서에 수록된 핵심
유형을 맛볼 수 있어요.

STEP 2 따라 풀어보기

STEP 2 따라 풀어보기

연주와 윤호는 쿠키를 함께 만들어 보기로 했습니다. 연주가 준비한 밀가루는 $\frac{14}{16}$ kg이고 윤호가 준비한 밀가루는 $\frac{7}{16}$ kg입니다. 연주가 준비한 밀가루는 윤호가 준비한 밀가루의 몇 배인지 풀이 과정을 쓰고, 답을 구하세요.

'Step1'과 유사한 문제를
따라 풀어보면서 다시 한 번
익힐 수 있어요!

STEP 3 스스로 풀어보기

STEP 3 스스로 풀어보기

1. 집에서 병원까지의 거리는 $\frac{12}{17}$ km이고 집에서 문구점까지의 거리는 $\frac{4}{17}$ km입니다. 집에서 병원까지의 거리는 집에서 문구점까지의 거리의 몇 배인지 풀이 과정을 쓰고, 답을 구하세요.

2. 민진이와 예준이가 같은 빵을 먹고 있습니다. 민진이는 빵 한 개의 $\frac{7}{9}$을 먹었고 예준이는 빵 한 개의 $\frac{7}{27}$을 먹었습니다. 민진이가 먹은 빵의 양은 예준이가 먹은 빵의 양의 몇 배인지 풀이 과정을 쓰고, 답을 구하세요.

앞에서 학습한 핵심 유형을
생각하며 다시 연습해보고,
쌍둥이 문제로 따라 풀어보
세요! 서술형 문제를 술술
생각대로 풀 수 있답니다.

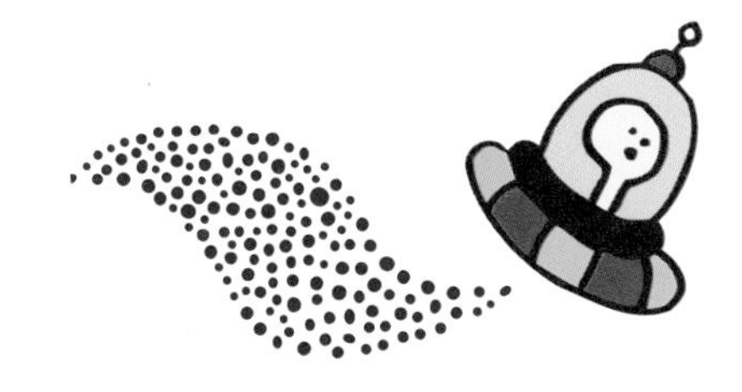

실력 다지기

창의 융합, 생활 수학, 스토리텔링, 유형 복합 문제 수록!

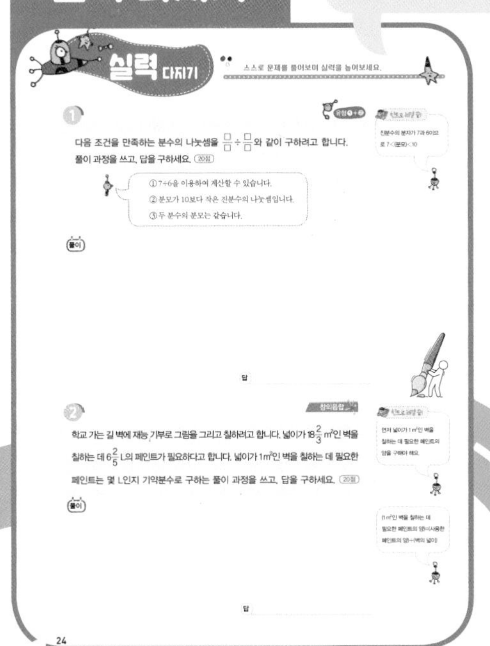

이제 실전이에요. 새 교육과정의 핵심인 '융합 인재 교육'에 알맞게 창의력, 사고력 문제들을 풀며 실력을 탄탄하게 다져보세요!

추가 콘텐츠

www.nexusEDU.kr/math

단원을 마무리하기 전에 넥서스에듀 홈페이지 및 QR코드를 통해 제공하는 '스페셜 유형'과 다양한 '추가 문제'로 부족한 부분을 보충하고 배운 것을 추가적으로 복습할 수 있어요.
또한, '무료 동영상 강의'를 통해 교과와 연계된 개념 정리와 해설 강의를 들을 수 있어요.

QR코드를 찍으면 동영상 강의를 들을 수 있어요.

정답 및 해설

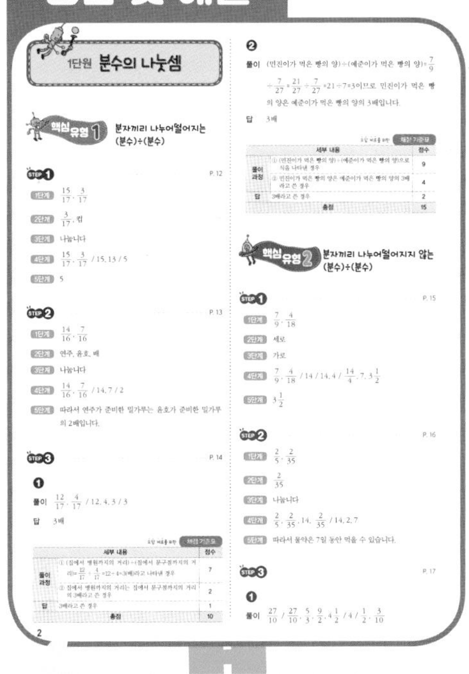

자세한 답안과 단계별 부분 점수를 보고 채점해보세요! 어떤 부분이 부족한지 정확하게 파악하여 사고력, 논리력을 키울 수 있어요!

나만의 문제 만들기

서술형 문제를 거꾸로 풀어 보면 개념을 잘 이해했는지 확인할 수 있어요! '나만의 문제 만들기'를 풀면서 최종 실력을 체크하는 시간을 가져보세요!

1 분수의 나눗셈

2 소수의 나눗셈

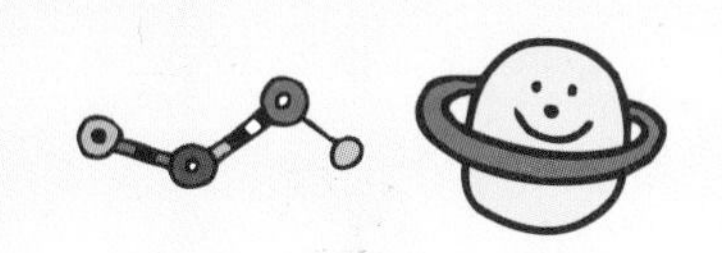

3 공간과 입체

4 비례식과 비례배분

원의 넓이

원기둥, 원뿔, 구

채점 기준표가 들어있어요!

1. 분수의 나눗셈

- 유형1 분자끼리 나누어떨어지는 (분수)÷(분수)
- 유형2 분자끼리 나누어떨어지지 않는 (분수)÷(분수)
- 유형3 (자연수)÷(분수)의 몫 구하기
- 유형4 (대분수)÷(분수)

STEP 1 대표 문제 맛보기

탄산음료 $\frac{15}{17}$ L를 한 컵에 $\frac{3}{17}$ L씩 똑같이 나누어 담으려고 합니다. 나누어 담을 수 있는 컵의 수는 몇 개인지 풀이 과정을 쓰고, 답을 구하세요. (8점)

1단계 알고 있는 것 (1점)

탄산음료의 양 : ☐ L

한 컵에 담을 수 있는 양 : ☐ L

2단계 구하려는 것 (1점)

한 컵에 똑같이 ☐ L씩 나누어 담을 때 나누어 담을 수 있는 ☐의 수를 구하려고 합니다.

3단계 문제 해결 방법 (2점)

컵의 수는 전체 탄산음료의 양을 한 컵에 담는 양으로 (곱합니다 , 나눕니다).

4단계 문제 풀이 과정 (3점)

(나누어 담을 수 있는 컵의 수)

= (전체 탄산음료의 양) ÷ (한 컵에 담을 수 있는 양)

= ☐ ÷ ☐ = ☐ ÷ ☐ = ☐ (개)

5단계 구하려는 답 (1점)

따라서 나누어 담을 수 있는 컵의 수는 ☐ 개입니다.

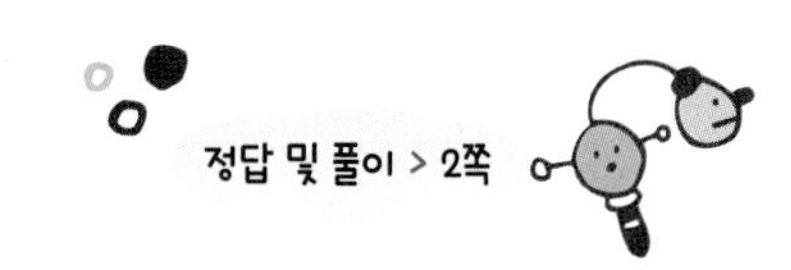

STEP 2 따라 풀어보기

연주와 윤호는 쿠키를 함께 만들어 보기로 했습니다. 연주가 준비한 밀가루는 $\frac{14}{16}$ kg이고 윤호가 준비한 밀가루는 $\frac{7}{16}$ kg입니다. 연주가 준비한 밀가루는 윤호가 준비한 밀가루의 몇 배인지 풀이 과정을 쓰고, 답을 구하세요. (9점)

1단계 알고 있는 것 (1점)

연주가 준비한 밀가루의 무게 : ☐ kg

윤호가 준비한 밀가루의 무게 : ☐ kg

2단계 구하려는 것 (1점)

☐가 준비한 밀가루는 ☐가 준비한 밀가루의 몇 ☐인지 구하려고 합니다.

3단계 문제 해결 방법 (2점)

연주가 준비한 밀가루의 무게를 윤호가 준비한 밀가루의 무게로 (곱합니다 , 나눕니다).

4단계 문제 풀이 과정 (3점)

(연주가 준비한 밀가루의 무게) ÷ (윤호가 준비한 밀가루의 무게)

= ☐ ÷ ☐ = ☐ ÷ ☐ = ☐ (배)입니다.

5단계 구하려는 답 (2점)

분모가 같은 (분수)÷(분수)

- 나누어지는 수가 나누는 수로 몇 번 덜어 낼 수 있는지 알아봅니다.
- 분모가 같으면 분자끼리 나눕니다.

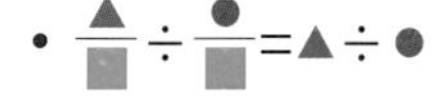

STEP 3 스스로 풀어보기

유형❶

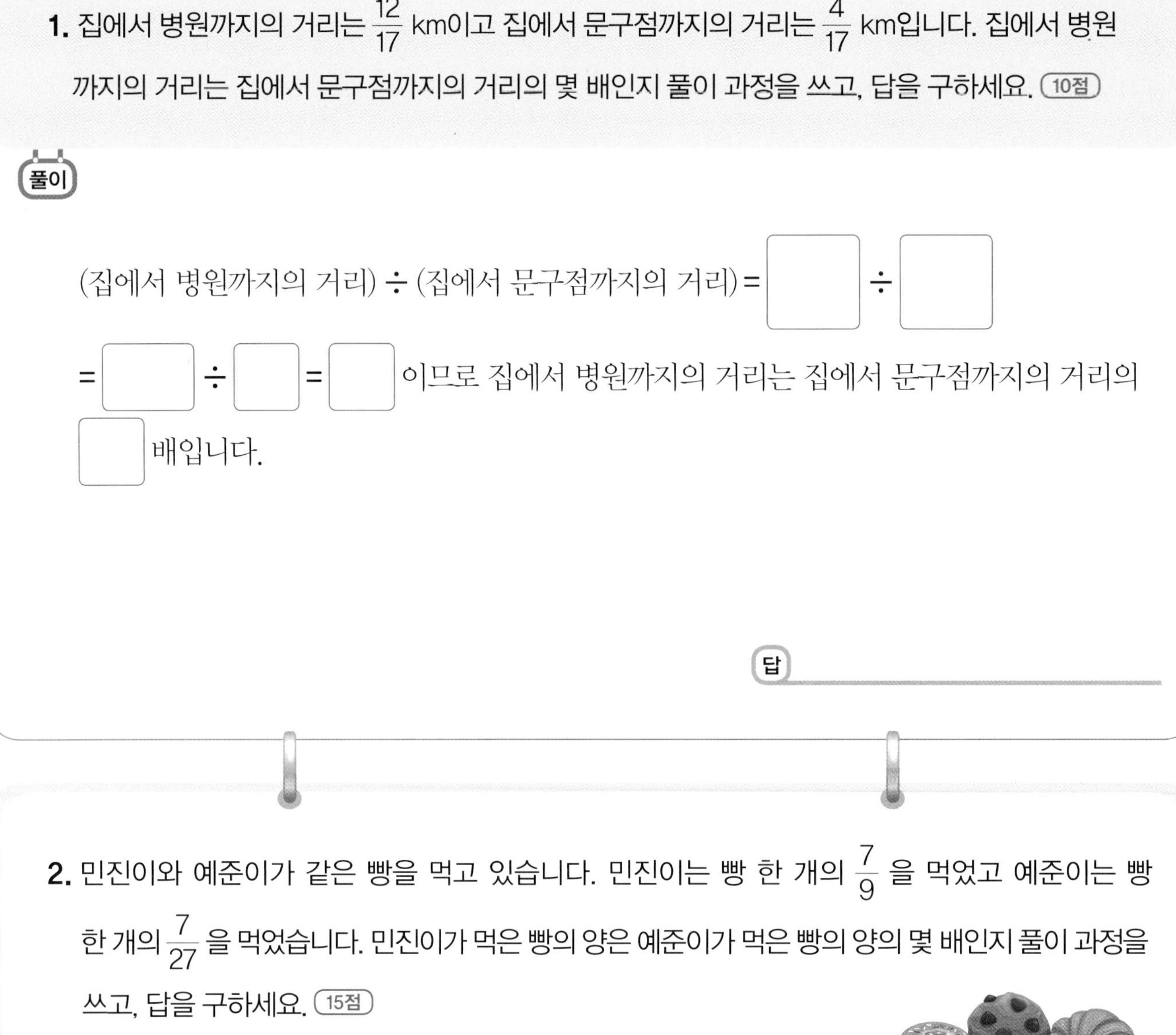

1. 집에서 병원까지의 거리는 $\frac{12}{17}$ km이고 집에서 문구점까지의 거리는 $\frac{4}{17}$ km입니다. 집에서 병원까지의 거리는 집에서 문구점까지의 거리의 몇 배인지 풀이 과정을 쓰고, 답을 구하세요. (10점)

풀이

(집에서 병원까지의 거리) ÷ (집에서 문구점까지의 거리) = ☐ ÷ ☐

= ☐ ÷ ☐ = ☐ 이므로 집에서 병원까지의 거리는 집에서 문구점까지의 거리의 ☐ 배입니다.

답 ______________

2. 민진이와 예준이가 같은 빵을 먹고 있습니다. 민진이는 빵 한 개의 $\frac{7}{9}$ 을 먹었고 예준이는 빵 한 개의 $\frac{7}{27}$ 을 먹었습니다. 민진이가 먹은 빵의 양은 예준이가 먹은 빵의 양의 몇 배인지 풀이 과정을 쓰고, 답을 구하세요. (15점)

풀이

답 ______________

분자끼리 나누어떨어지지 않는 (분수)÷(분수)

정답 및 풀이 > 2쪽

STEP 1 대표 문제 맛보기

넓이가 $\frac{7}{9}$ cm²인 직사각형이 있습니다. 이 직사각형의 가로가 $\frac{4}{18}$ cm일 때 세로는 몇 cm인지 대분수로 나타내려고 합니다. 풀이 과정을 쓰고, 답을 구하세요. (단, 답은 기약분수로 쓰세요.) (8점)

1단계 알고 있는 것 (1점) 직사각형의 넓이 : ☐ cm²　직사각형의 가로 : ☐ cm

2단계 구하려는 것 (1점) 직사각형의 ☐ 는 몇 cm인지 구하려고 합니다.

3단계 문제 해결 방법 (2점) (직사각형의 넓이)=(☐)×(세로)임을 이용합니다.

4단계 문제 풀이 과정 (3점) (직사각형의 세로) = (직사각형의 넓이) ÷ (가로)

= ☐ ÷ ☐

= $\frac{☐}{18} \div \frac{4}{18}$

= ☐ ÷ ☐

= ☐ = $\frac{☐}{2}$ = ☐ (cm)입니다.

5단계 구하려는 답 (1점) 따라서 직사각형의 세로는 ☐ cm입니다.

STEP 2 따라 풀어보기

감기에 걸린 지후는 약국에서 물약 $\frac{2}{5}$ L를 지어 왔습니다. 매일 $\frac{2}{35}$ L씩 마셔야 한다면 며칠 동안 마실 수 있는지 풀이 과정을 쓰고, 답을 구하세요. (9점)

1단계 알고 있는 것 (1점)　물약의 양 : $\square$ L　하루에 마셔야 하는 양 : $\square$ L

2단계 구하려는 것 (1점)　지후가 지어 온 물약을 하루에 $\square$ L씩 마신다면 며칠 동안 마실 수 있는지 구하려고 합니다.

3단계 문제 해결 방법 (2점)　전체 물약의 양을 하루에 마셔야 하는 양으로 (곱합니다 , 나눕니다).

4단계 문제 풀이 과정 (3점)　(마실 수 있는 날 수) = (전체 물약의 양) ÷ (하루에 마셔야 하는 양)

$= \square \div \square = \frac{\square}{35} \div \square$

$= \square \div \square = \square$ (일)

5단계 구하려는 답 (2점)

이것만 알면 문제 해결 OK!

분모가 다른 (분수)÷(분수)

☆ 분모가 다른 분수끼리의 나눗셈은 통분하여 분모가 같은 (분수)÷(분수)로 바꾸어 계산할 수 있습니다.

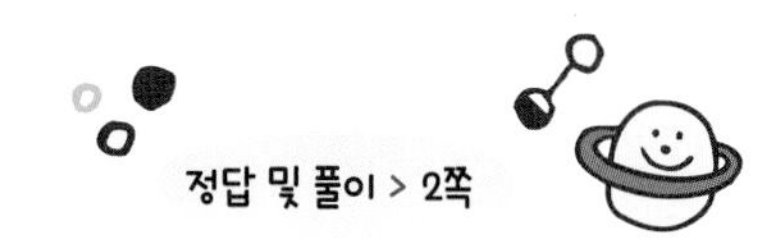
정답 및 풀이 > 2쪽

STEP 3 스스로 풀어보기

유형❷

1. 길이가 $\frac{27}{10}$ m인 끈을 $\frac{3}{5}$ m씩 잘라 리본을 만들려고 합니다. 리본은 몇 개까지 만들 수 있고 남은 끈은 몇 m인지 풀이 과정을 쓰고, 답을 구하세요. (10점)

풀이

(전체 끈의 길이)÷(리본 한 개를 만드는 데 필요한 끈의 길이)

$= \square \div \frac{3}{5} = \square \times \square = \square = \square$ 이므로 리본은 $\square$ 개까지 만들 수 있고 남은 끈은 $\frac{3}{5}$의 $\frac{1}{2}$로 $\frac{3}{5} \times \square = \square$ (m)입니다.

답 ______________________

2. 길이가 $\frac{27}{28}$ m인 철사를 $\frac{3}{7}$ m씩 잘라 장식품을 만들려고 합니다. 장식품은 몇 개까지 만들 수 있고 남은 철사는 몇 m인지 풀이 과정을 쓰고, 답을 구하세요. (15점)

풀이

답 ______________________

(자연수)÷(분수)의 몫 구하기

STEP 1 대표 문제 맛보기

대성이는 킥보드를 타고 8 km를 가는 데 $\frac{4}{5}$ 시간이 걸렸습니다. 같은 빠르기로 1시간 동안 갈 수 있는 거리는 몇 km인지 풀이 과정을 쓰고, 답을 구하세요. (8점)

1단계 알고 있는 것 (1점)

대성이가 킥보드를 타고 이동한 거리 : ☐ km

걸린 시간 : ☐ 시간

2단계 구하려는 것 (1점)

☐ 시간 동안 갈 수 있는 ☐ 는 몇 km인지 구하려고 합니다.

3단계 문제 해결 방법 (2점)

(1시간 동안 갈 수 있는 거리) = (간 ☐) ÷ (걸린 ☐)입니다.

4단계 문제 풀이 과정 (3점)

1시간 동안 갈 수 있는 거리를 □ km라 하면 $\frac{4}{5}$ 시간 동안 8 km를 갈 수 있으므로 □의 $\frac{4}{5}$는 8과 같습니다. □ × ☐ =8이므로

□ = 8 ÷ ☐ = (8 ÷ 4) × ☐ = ☐ 입니다.

5단계 구하려는 답 (1점)

따라서 1시간 동안 갈 수 있는 거리는 ☐ km입니다.

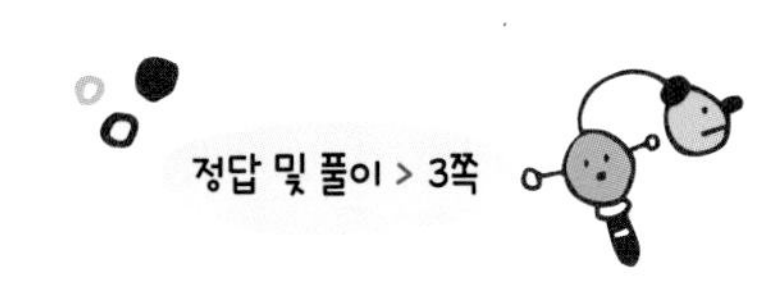

STEP 2 따라 풀어보기

넓이가 3 cm^2인 삼각형이 있습니다. 이 삼각형의 높이가 $\frac{6}{11}$ cm일 때 밑변의 길이는 몇 cm인지 풀이 과정을 쓰고, 답을 구하세요. (9점)

1단계 알고 있는 것 (1점)

삼각형의 넓이 : □ cm^2

삼각형의 높이 : □ cm

2단계 구하려는 것 (1점)

삼각형의 □의 길이는 몇 cm인지 구하려고 합니다.

3단계 문제 해결 방법 (2점)

(삼각형의 넓이) = (□의 길이) × (□) ÷ □입니다.

4단계 문제 풀이 과정 (3점)

(밑변의 길이) = (삼각형의 넓이) × □ ÷ (높이)

$= □ \times □ \div \frac{□}{11}$

$= □ \div \frac{□}{11}$

$= (6 \div 6) \times □$

= □(cm)입니다.

5단계 구하려는 답 (2점)

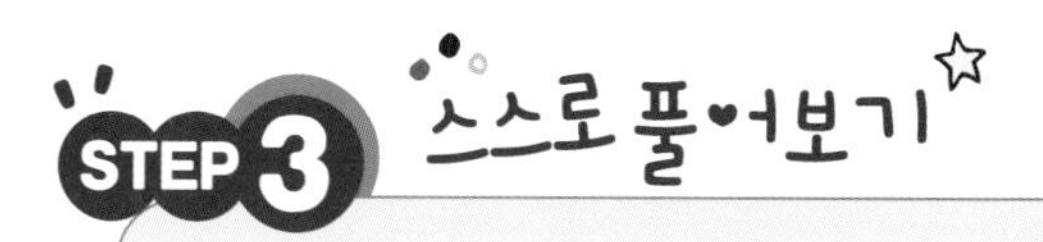

1. 쌀 $\frac{7}{15}$ kg의 가격이 5600원입니다. 쌀 1 kg의 가격은 얼마인지 풀이 과정을 쓰고, 답을 구하세요. (10점)

(쌀 1 kg의 가격) = (쌀 $\frac{7}{15}$ kg의 가격) ÷ $\frac{7}{15}$

= ☐ ÷ ☐

= ☐ × ☐ = ☐ (원)입니다.

따라서 쌀 1 kg의 가격은 ☐ 원입니다.

답 ________________

2. 감자 $\frac{2}{5}$ kg의 가격이 3000원입니다. 감자 1 kg의 가격은 얼마인지 풀이 과정을 쓰고, 답을 구하세요. (15점)

답 ________________

(대분수)÷(분수)

정답 및 풀이 > 4쪽

STEP 1 대표 문제 맛보기

백설기 한 개를 만드는 데 쌀가루 $\frac{8}{15}$ 컵이 필요합니다. 쌀가루 $10\frac{2}{3}$ 컵으로 만들 수 있는 백설기는 모두 몇 개인지 풀이 과정을 쓰고, 답을 구하세요. (8점)

1단계 알고 있는 것 (1점)

백설기 한 개를 만드는 데 필요한 쌀가루 양 : ☐ 컵

가지고 있는 쌀가루의 양 : ☐ 컵

2단계 구하려는 것 (1점)

쌀가루 ☐ 컵으로 만들 수 있는 ☐ 는 모두 몇 개인지 구하려고 합니다.

3단계 문제 해결 방법 (2점)

만들 수 있는 백설기 개수는 전체 쌀가루의 양을 백설기 한 개를 만드는 데 필요한 쌀가루의 양으로 (곱합니다 , 나눕니다).

4단계 문제 풀이 과정 (3점)

(백설기의 개수)

= (전체 쌀가루의 양) ÷ (백설기 한 개를 만드는 데 필요한 쌀가루의 양)

$= \square \div \square = \frac{\square}{3} \times \square = \square$ (개)

5단계 구하려는 답 (1점)

따라서 $10\frac{2}{3}$ 컵으로 백설기 ☐ 개를 만들 수 있습니다.

STEP 2 따라 풀어보기

넓이가 $40\frac{8}{9}$ m^2인 평행사변형이 있습니다. 이 평행사변형의 높이가 $10\frac{2}{3}$ m일 때 밑변의 길이는 몇 m인지 풀이 과정을 쓰고, 답을 구하세요. (9점)

1단계 알고 있는 것 (1점)

평행사변형의 넓이 : ☐ m^2

평행사변형의 높이 : ☐ m

2단계 구하려는 것 (1점)

평행사변형의 ☐ 의 길이는 몇 m인지 구하려고 합니다.

3단계 문제 해결 방법 (2점)

(평행사변형의 넓이) = (☐ 의 길이) × (☐)입니다.

4단계 문제 풀이 과정 (3점)

(평행사변형의 밑변의 길이) = (평행사변형의 넓이) ÷ (높이)

$= \square \div \square$

$= \frac{\square}{9} \div \frac{\square}{3}$

$= \frac{\square}{9} \times \frac{3}{\square}$

$= \frac{\square}{6} = \square$ (m)

5단계 구하려는 답 (2점)

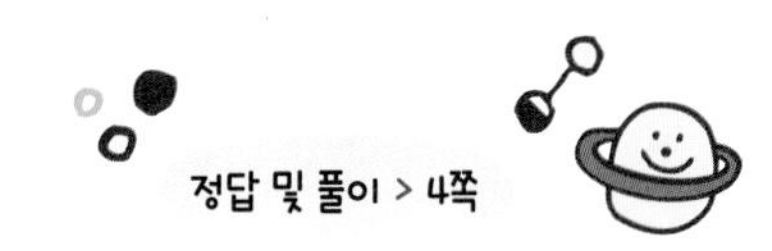

STEP 3 스스로 풀어보기

1. 어떤 수를 $\frac{3}{4}$으로 나누어야 할 것을 잘못하여 곱하였더니 $2\frac{2}{3}$가 되었습니다. 바르게 계산한 값은 무엇인지 풀이 과정을 쓰고, 답을 구하세요. (10점)

풀이

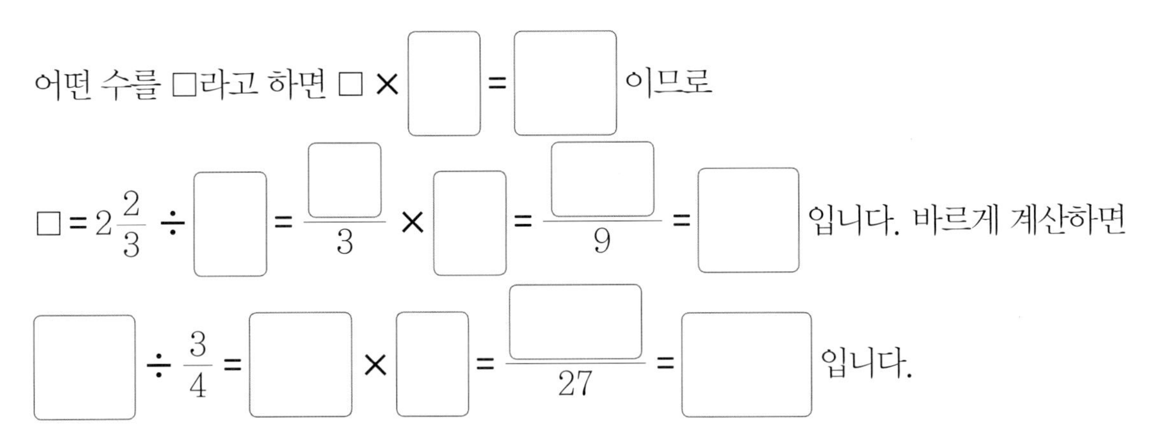

어떤 수를 □라고 하면 □ × □ = □ 이므로
□ = 2 2/3 ÷ □ = □/3 × □ = □/9 = □ 입니다. 바르게 계산하면
□ ÷ 3/4 = □ × □ = □/27 = □ 입니다.

답 ____________

2. 어떤 수를 $3\frac{9}{10}$로 나누어야 할 것을 잘못하여 $3\frac{10}{9}$으로 나누었더니 $1\frac{2}{37}$가 되었습니다. 바르게 계산한 값은 무엇인지 풀이 과정을 쓰고, 답을 구하세요. (15점)

풀이

답 ____________

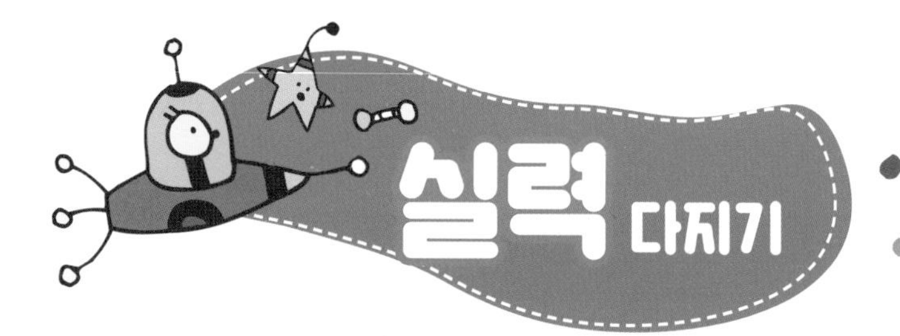

스스로 문제를 풀어보며 실력을 높여보세요.

1

유형 ❶+❷

다음 조건을 만족하는 분수의 나눗셈을 $\frac{\square}{\square} \div \frac{\square}{\square}$와 같이 구하려고 합니다. 풀이 과정을 쓰고, 답을 구하세요. (20점)

① 7÷6을 이용하여 계산할 수 있습니다.
② 분모가 10보다 작은 진분수의 나눗셈입니다.
③ 두 분수의 분모는 같습니다.

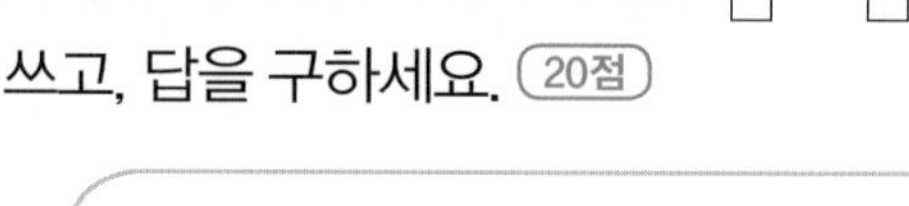

힌트로 해결 끝!
진분수의 분자가 7과 6이므로 7<(분모)<10

풀이

답

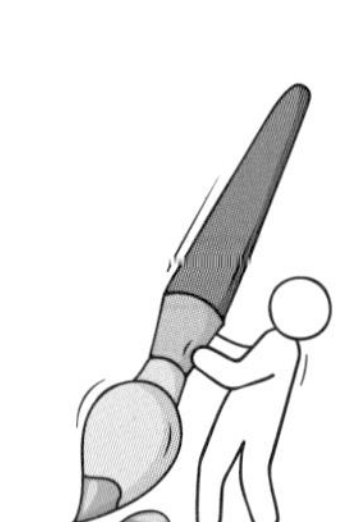

2

창의융합

학교 가는 길 벽에 재능 기부로 그림을 그리고 칠하려고 합니다. 넓이가 $18\frac{2}{3}$ m²인 벽을 칠하는 데 $6\frac{2}{5}$ L의 페인트가 필요하다고 합니다. 넓이가 1 m²인 벽을 칠하는 데 필요한 페인트는 몇 L인지 기약분수로 구하는 풀이 과정을 쓰고, 답을 구하세요. (20점)

힌트로 해결 끝!
먼저 넓이가 1 m²인 벽을 칠하는 데 필요한 페인트의 양을 구해야 해요.

(1 m²인 벽을 칠하는 데 필요한 페인트의 양)=(사용한 페인트의 양)÷(벽의 넓이)

풀이

답

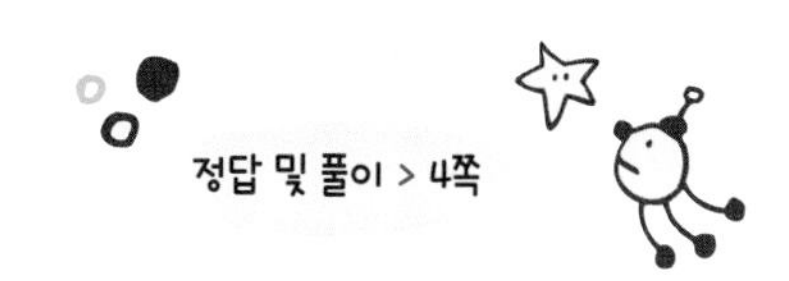

3

창의융합

수 카드를 각각 4장씩 가지고 있습니다. 가지고 있는 수 카드 중 3장으로 대분수를 만들 때 진우가 만들 수 있는 가장 큰 대분수를 혜지가 만들 수 있는 가장 작은 대분수로 나눈 몫을 대분수로 구하려고 합니다. 풀이 과정을 쓰고, 답을 구하세요. (단, 기약분수로 나타내세요.) (20점)

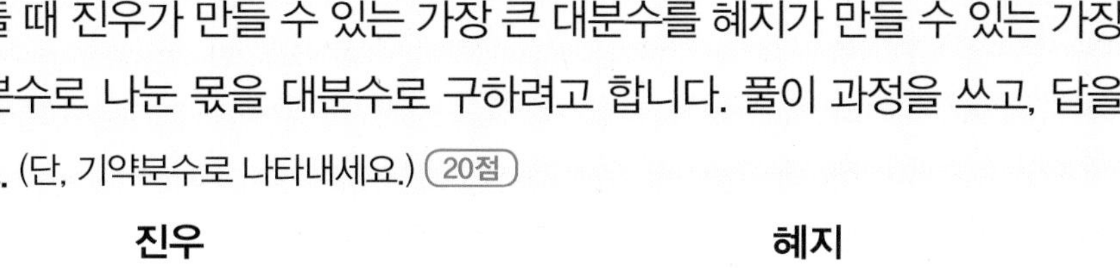

진우				혜지			
2	4	5	7	3	6	8	9

힌트로 해결 끝!
가장 큰 대분수 :
자연수 부분이 가장 큰 수

가장 작은 대분수 :
자연수 부분이 가장 작은 수

풀이

답

4

생활수학

준성이와 친구들은 밭에서 150 kg의 고구마를 캤습니다. 오전에 캔 고구마의 무게가 $73\frac{1}{3}$ kg이라면 오후에 캔 고구마의 무게는 오전에 캔 고구마 무게의 몇 배인지 대분수로 구하는 풀이 과정을 쓰고, 답을 구하세요. (단, 기약분수로 나타내세요.) (20점)

힌트로 해결 끝!
오후에 캔 고구마 무게를 먼저 구해요.

풀이

답

거꾸로 풀며 나만의 문제를 완성해 보세요.

정답 및 풀이 > 5쪽

다음은 주어진 길이와 낱말, 조건을 활용해서 만든 문제를 보고 풀이 과정과 답을 구한 것입니다. 어떤 문제였을까요? 거꾸로 문제 만들기, 도전해 볼까요? (25점)

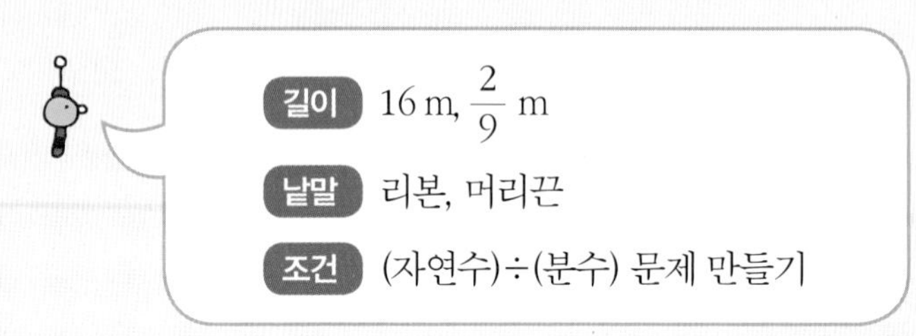

길이 16 m, 2/9 m
낱말 리본, 머리끈
조건 (자연수)÷(분수) 문제 만들기

★힌트★
리본을 잘라 머리끈의 개수를 구하는 질문을 만들어요!

문제

풀이

만들 수 있는 머리끈의 개수는 리본의 길이를 머리끈 한 개를 만드는 데 필요한 길이로 나누어 구합니다.

$16 \div \frac{2}{9} = (16 \div 2) \times 9 = 8 \times 9 = 72$ 이므로 머리끈은 모두 72개 만들 수 있습니다.

답 72개

2. 소수의 나눗셈

- 유형1 소수의 나눗셈
- 유형2 (자연수)÷(소수)
- 유형3 몫을 반올림하여 나타내기
- 유형4 나누어 주고 남는 양 알아보기

핵심유형 1

소수의 나눗셈

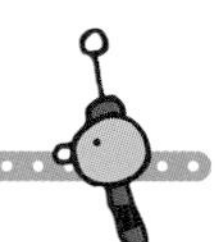

STEP 1 대표 문제 맛보기

우유 2.4 L를 컵 하나에 0.4 L씩 나누어 담으려고 합니다. 몇 개의 컵에 나누어 담을 수 있는지 자연수의 나눗셈을 이용하여 구하는 풀이 과정을 쓰고, 답을 구하세요. (8점)

1단계 알고 있는 것 (1점)

우유의 양 : ☐ L

컵 하나에 담을 우유의 양 : ☐ L

2단계 구하려는 것 (1점)

☐ 2.4 L를 몇 개의 컵에 ☐ 담을 수 있는지 구하려고 합니다.

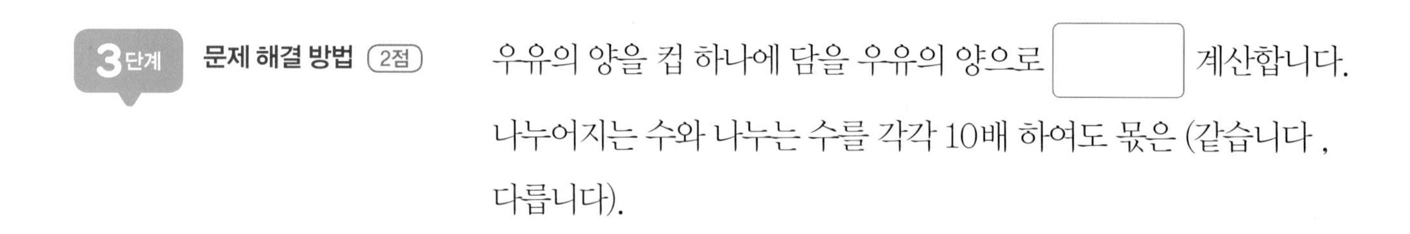

3단계 문제 해결 방법 (2점)

우유의 양을 컵 하나에 담을 우유의 양으로 ☐ 계산합니다.

나누어지는 수와 나누는 수를 각각 10배 하여도 몫은 (같습니다 , 다릅니다).

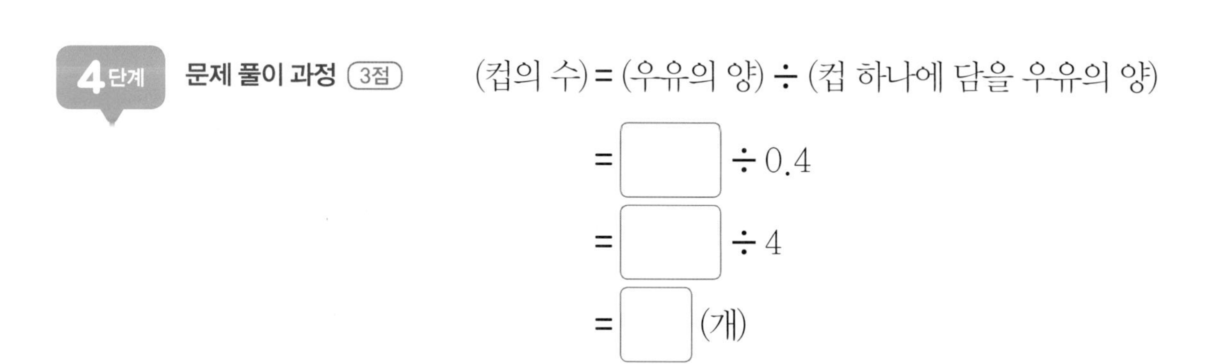

4단계 문제 풀이 과정 (3점)

(컵의 수) = (우유의 양) ÷ (컵 하나에 담을 우유의 양)

= ☐ ÷ 0.4

= ☐ ÷ 4

= ☐ (개)

5단계 구하려는 답 (1점)

따라서 ☐ 개의 컵에 나누어 담을 수 있습니다.

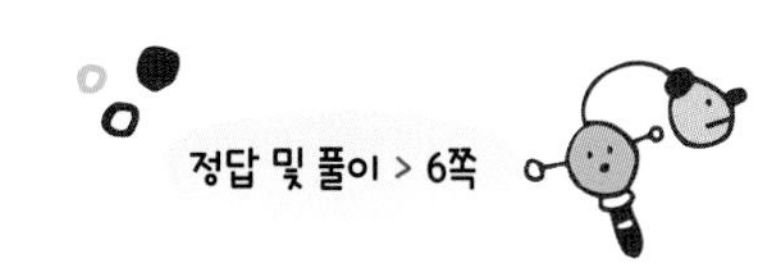

STEP 2 따라 풀어보기

민영이가 가지고 있는 리본의 길이는 1.28 m입니다. 나비 핀을 한 개 만드는 데 필요한 리본의 길이가 0.16 m라면 민영이가 가지고 있는 리본으로 만들 수 있는 나비 핀은 모두 몇 개인지 분수의 나눗셈을 이용하여 구하는 풀이 과정을 쓰고, 답을 구하세요. (9점)

1단계 알고 있는 것 (1점)

민영이가 가지고 있는 리본의 길이 : ☐ m

나비 핀 한 개를 만드는 데 필요한 리본의 길이 : ☐ m

2단계 구하려는 것 (1점)

민영이가 가지고 있는 ☐ 으로 만들 수 있는 ☐ 핀은 모두 몇 개인지 구하려고 합니다.

3단계 문제 해결 방법 (2점)

민영이가 가지고 있는 리본의 길이를 나비 핀 ☐ 개를 만드는 데 필요한 리본의 길이로 (곱합니다 , 나눕니다).

4단계 문제 풀이 과정 (3점)

(민영이가 만들 수 있는 나비 핀의 수)

= (민영이가 가지고 있는 리본의 길이) ÷ (나비 핀 한 개를 만드는 데 필요한 리본이 길이)

= ☐ ÷ 0.16

= ☐ $\div \dfrac{16}{100}$

= ☐ ÷ 16

= ☐ (개)

5단계 구하려는 답 (2점)

STEP 3 스스로 풀어보기

유형❶

1. 주어진 수 카드를 □ 안에 한 번씩만 써 넣어 나눗셈식을 만들려고 합니다. 만든 나눗셈식의 몫이 가장 클 때의 몫은 무엇인지 풀이 과정을 쓰고, 답을 구하세요. (10점)

0.□□÷0.□□ 　 1 　 2 　 5 　 7

풀이

나눗셈식에서 몫을 크게 하려면 나누어지는 수를 가장 (크게 , 작게), 나누는 수를 가장 (크게 , 작게) 만들어야 합니다. □ ÷ □ = □ 이므로

몫이 가장 큰 나눗셈식의 몫은 □ 입니다.

답 ____________

2. 주어진 수 카드를 □ 안에 한 번씩만 써 넣어 나눗셈식을 만들려고 합니다. 만든 나눗셈식의 몫이 가장 작을 때의 몫은 무엇인지 풀이 과정을 쓰고, 답을 구하세요. (15점)

□.□□÷0.□ 　 2 　 4 　 6 　 8

풀이

답 ____________

(자연수)÷(소수)

정답 및 풀이 > 6쪽

STEP 1 대표 문제 맛보기

만두 1개를 만드는 데 두부 3.8 g이 필요합니다. 두부 95 g으로 만들 수 있는 만두는 모두 몇 개인지 풀이 과정을 쓰고, 답을 구하세요. (8점)

1단계 알고 있는 것 (1점) 만두 1개를 만드는 데 필요한 두부의 양 : ☐ g

두부의 양 : ☐ g

2단계 구하려는 것 (1점) 두부 ☐ g으로 만들 수 있는 만두의 수를 구하려고 합니다.

3단계 문제 해결 방법 (2점) 두부 95 g으로 만들 수 있는 만두의 수는 두부의 양을 만두 1개를 만드는 데 필요한 두부의 양으로 (곱합니다 , 나눕니다).

4단계 문제 풀이 과정 (3점) (만들 수 있는 만두의 개수)

= (두부의 양) ÷ (만두 1개를 만드는 데 필요한 두부의 양)

= ☐ ÷ 3.8

= ☐ $\div \frac{38}{10}$

= ☐ ÷ 38

= ☐ (개)

5단계 구하려는 답 (1점) 따라서 만두를 ☐ 개 만들 수 있습니다.

STEP 2 따라 풀어보기

둘레가 2.25 km인 산책로를 하루에 한 바퀴씩 며칠 동안 걸었더니 걸은 거리가 모두 54 km였습니다. 산책로를 며칠 동안 걸었는지 풀이 과정을 쓰고, 답을 구하세요. (9점)

1단계 알고 있는 것 (1점)

산책로의 둘레 : ☐ km

총 걸은 거리 : ☐ km

2단계 구하려는 것 (1점)

산책로를 따라 ☐ 동안 걸었는지 구하려고 합니다.

3단계 문제 해결 방법 (2점)

총 걸은 거리를 산책로의 둘레로 (곱합니다 , 나눕니다).

4단계 문제 풀이 과정 (3점)

(산책로를 따라 걸은 날의 수) = (전체 걸은 거리) ÷ (산책로의 둘레)

= ☐ ÷ 2.25

= ☐ ÷ 225

= ☐ (일)

5단계 구하려는 답 (2점)

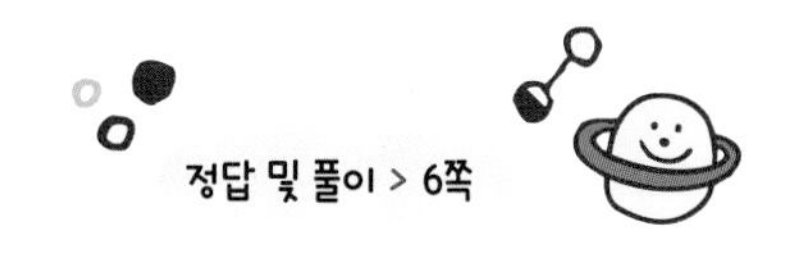
정답 및 풀이 > 6쪽

1. A 마트에서 파는 주스는 1.2 L당 1440원이고, B 마트에서 파는 주스는 1.5 L당 1680원입니다. 어느 마트에서 사는 것이 더 저렴한지 풀이 과정을 쓰고, 답을 구하세요. (10점)

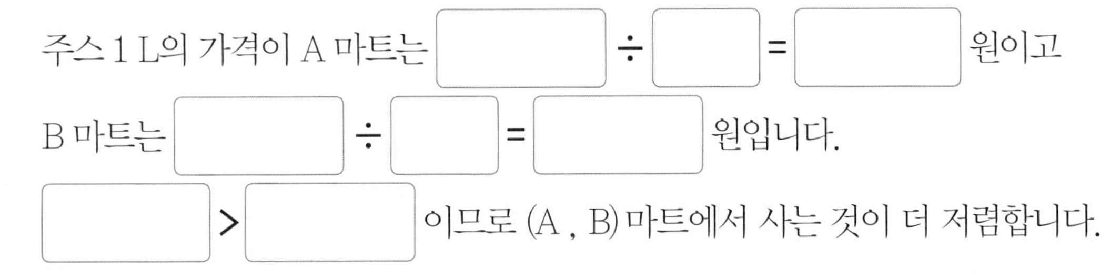

주스 1 L의 가격이 A 마트는 ☐ ÷ ☐ = ☐ 원이고

B 마트는 ☐ ÷ ☐ = ☐ 원입니다.

☐ > ☐ 이므로 (A , B) 마트에서 사는 것이 더 저렴합니다.

답 ____________________

2. 수경이는 리본 20 m를 한 사람에게 2.5 m씩 나누어주고, 승미는 리본 21 m를 한 사람에게 3.5 m씩 나누어주었습니다. 누가 더 많은 사람들에게 나누어주었는지 풀이 과정을 쓰고, 답을 구하세요. (15점)

풀이

답 ____________________

몫을 반올림하여 나타내기

STEP 1 대표 문제 맛보기

루다의 몸무게는 48 kg이고 루다 어머니의 몸무게는 58 kg입니다. 어머니의 몸무게는 루다의 몸무게의 몇 배인지 반올림하여 소수 둘째 자리까지 나타내려고 합니다. 풀이 과정을 쓰고, 답을 구하세요. (8점)

1단계 알고 있는 것 (1점)

루다의 몸무게 : ☐ kg

루다 어머니의 몸무게 : ☐ kg

2단계 구하려는 것 (1점)

루다 어머니의 몸무게는 루다의 몸무게의 몇 배인지 반올림하여 소수 ☐ 자리까지 구하려고 합니다.

3단계 문제 해결 방법 (2점)

루다 어머니의 몸무게를 루다의 몸무게로 나누어 몫을 소수 ☐ 자리에서 ☐ 합니다.

4단계 문제 풀이 과정 (3점)

(루다 어머니의 몸무게) ÷ (루다의 몸무게)

= ☐ ÷ ☐ = ☐ 이고 반올림하여

소수 둘째 자리까지 나타내면 ☐ 입니다.

5단계 구하려는 답 (1점)

따라서 루다 어머니의 몸무게는 루다의 몸무게의 ☐ 배입니다.

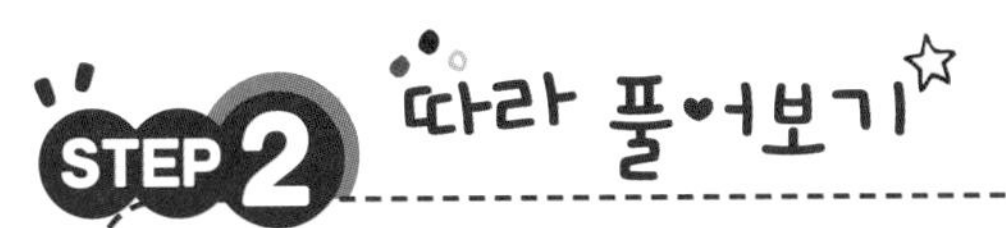

나눗셈의 몫을 반올림하여 소수 첫째 자리까지 나타낸 값과 몫을 반올림하여 소수 둘째 자리까지 나타낸 값의 차를 구하는 풀이 과정을 쓰고, 답을 구하세요. (9점)

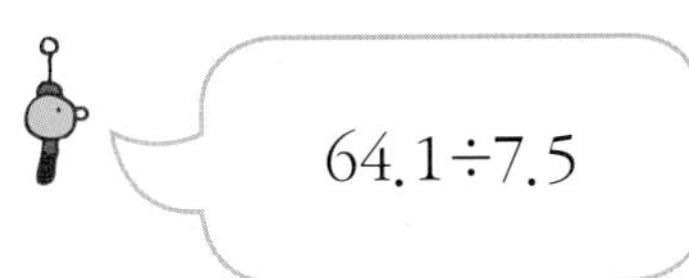

1단계 알고 있는 것 (1점)

주어진 식 : ☐ ÷ ☐

2단계 구하려는 것 (1점)

나눗셈의 몫을 반올림하여 소수 첫째 자리까지 나타낸 값과 몫을 반올림하여 소수 둘째 자리까지 나타낸 값의 ☐ 를 구하려고 합니다.

3단계 문제 해결 방법 (2점)

64.1 ÷ 7.5를 계산하여 몫을 소수 ☐ 자리와 둘째 자리에서 ☐ 한 값을 각각 구합니다.

4단계 문제 풀이 과정 (3점)

64.1 ÷ 7.5 = ☐ 입니다. 몫을 반올림하여

소수 첫째 자리까지 나타내려면 소수 둘째 자리 숫자가 4이므로

☐ 이고, 몫을 반올림하여 소수 둘째 자리까지 나타내려면

소수 셋째 자리 숫자가 6이므로 ☐ 입니다.

그러므로 ☐ − ☐ = ☐ 입니다.

5단계 구하려는 답 (2점)

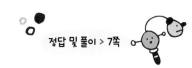

STEP 3 스스로 풀어보기

유형❸

1. 똑같은 과자 22개를 담은 상자의 무게는 12.42 kg입니다. 과자 13개를 판 후 남은 과자가 담긴 상자의 무게를 재어 보았더니 8.24 kg이었습니다. 과자 한 개의 무게는 몇 kg인지 반올림하여 소수 둘째 자리까지 나타내려고 합니다. 풀이 과정을 쓰고, 답을 구하세요. (10점)

풀이

(과자 13개의 무게) = ☐ − ☐ = ☐ (kg)

(과자 한 개의 무게) = ☐ ÷ ☐ = ☐ 이므로 몫을 반올림하여

소수 둘째 자리까지 나타내면 ☐ kg입니다.

따라서 과자 한 개의 무게는 반올림하여 소수 둘째 자리까지 나타내면 ☐ kg입니다.

답 ______________________

2. 똑같은 무게의 귤 42개가 담긴 상자의 무게는 15.93 kg입니다. 귤 23개를 판 후 남은 귤이 담긴 상자의 무게를 재어 보았더니 9.38 kg이었습니다. 귤 한 개의 무게는 몇 kg인지 반올림하여 소수 둘째 자리까지 나타내려고 합니다. 풀이 과정을 쓰고, 답을 구하세요. (15점)

풀이

답 ______________________

나누어 주고 남는 양 알아보기

정답 및 풀이 > 8쪽

STEP 1 대표 문제 맛보기

지점토 33.7 kg을 한 사람에게 4 kg씩 나누어주려고 합니다. 나누어줄 수 있는 사람의 수와 남는 지점토의 무게는 몇 kg인지 풀이 과정을 쓰고, 답을 구하세요. (8점)

1단계 알고 있는 것 (1점)

지점토의 무게 : ☐ kg

한 사람에게 나누어줄 수 있는 지점토의 무게 : ☐ kg

2단계 구하려는 것 (1점)

지점토를 나누어줄 수 있는 ☐의 수와 ☐ 지점토의 무게는 몇 kg인지 구하려고 합니다.

3단계 문제 해결 방법 (2점)

나누어줄 수 있는 사람 수는 소수가 될 수 없으므로 나눗셈의 몫은 ☐까지 구합니다.

4단계 문제 풀이 과정 (3점)

지점토의 무게를 한 사람에게 나누어줄 지점토의 무게로 나누면

$$\begin{array}{r} \square \\ \square \overline{)\ \square} \\ \underline{\square} \\ \square \end{array}$$

입니다.

5단계 구하려는 답 (1점)

따라서 ☐ 명에게 지점토를 나누어줄 수 있고 남는 지점토의 무게는 ☐ kg입니다.

STEP 2 따라 풀어보기

선물 상자 한 개를 묶는 데 끈 2.3 m가 필요합니다. 길이가 217.9 m인 끈 한 묶음으로 선물 상자를 몇 개까지 묶을 수 있고 남는 끈은 몇 m인지 풀이 과정을 쓰고, 답을 구하세요. (9점)

1단계 알고 있는 것 (1점)

끈의 한 묶음의 길이 : ☐ m

선물 상자 한 개를 묶는 데 필요한 끈의 길이 : ☐ m

2단계 구하려는 것 (1점)

끈 한 묶음으로 선물 ☐ 를 몇 개까지 묶을 수 있고 ☐ 끈은 몇 m인지 구하려고 합니다.

3단계 문제 해결 방법 (2점)

묶을 수 있는 상자의 수는 소수가 될 수 없으므로 나눗셈의 몫을 ☐ 까지 구합니다.

4단계 문제 풀이 과정 (3점)

끈 한 묶음의 길이를 선물 상자 한 개를 묶는 데 필요한 끈의 길이로 나누면

☐) ☐ … ☐ 입니다.

남는 양의 소수점은
나누어지는 수의 처음 소수점 자리에 찍습니다.

5단계 구하려는 답 (2점)

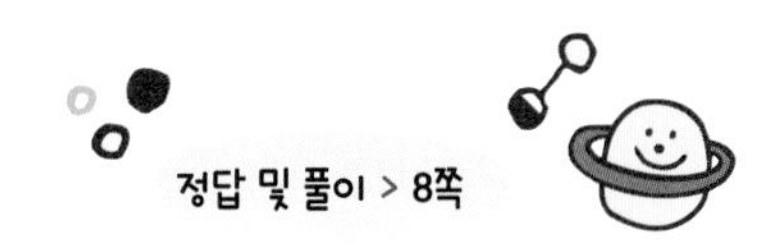

1. 나눗셈의 몫을 자연수 부분까지 구했을 때 남는 양을 비교하여 남는 양이 큰 수부터 기호로 쓰려고 합니다. 풀이 과정을 쓰고, 답을 구하세요. (10점)

㉠ 42.2÷4.5　　㉡ 32.8÷5.6　　㉢ 54.9÷6.8

풀이

㉠ $4.5 \overline{)\,42.2}$ 　㉡ $5.6 \overline{)\,32.8}$ 　㉢ $6.8 \overline{)\,54.9}$

남는 양을 비교하면 4.8 > 1.7 > 0.5이므로

남는 양이 큰 수부터 기호로 쓰면 ☐, ☐, ☐입니다.

답

2. 세 친구들이 나눗셈의 몫과 나머지를 구하고 있습니다. 몫을 자연수 부분까지 구했을 때 남는 양이 작은 사람부터 차례로 이름을 쓰려고 합니다. 풀이 과정을 쓰고, 답을 구하세요. (15점)

윤지 28.7÷6.1　　**나리** 23.2÷5.5　　**아정** 25.8÷7.2

풀이

답

1

어떤 수에 2.4를 곱했더니 28.80이 되었습니다. 어떤 수를 9로 나눈 몫을 반올림하여 소수 둘째 자리까지 나타내려고 합니다. 풀이 과정을 쓰고, 답을 구하세요. (20점)

반올림하여 소수 둘째 자리까지 → 소수 셋째 자리에서 반올림

답

2

머드 축제에서 머드팩 만들기 이벤트를 진행한다고 합니다. 머드팩의 재료로 쓰일 머드는 총 327 kg이 있습니다. 한 사람당 3.7 kg씩 받아서 머드팩을 만든다면 몇 명까지 만들기 체험이 가능한지 풀이 과정을 쓰고, 답을 구하세요. (20점)

답

3

창의융합

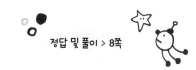

길이가 0.243 km인 직선 산책로 양쪽에 5.4 m 간격으로 의자를 놓으려고 합니다. 의자는 100개가 준비되어 있습니다. 산책로 시작과 끝나는 지점에도 의자를 놓는다면 산책로에 놓고 남은 의자는 몇 개인지 풀이 과정을 쓰고, 답을 구하세요. (단, 의자의 길이는 생각하지 않습니다.) (20점)

힌트로 해결 끝!

(의자의 수)=(간격의 수)+1

(양쪽 의자 수)
=(한쪽 의자 수)×2

풀이

답

4

생활수학

'돈', '근', '관' 등은 무게의 단위로 현재는 g이나 kg의 무게 단위의 사용을 권장합니다. 금 한 돈의 무게는 3.75 g입니다. 반지 한 개를 만드는 데 1.8돈이 필요하다면 금 270 g으로 만들 수 있는 반지는 모두 몇 개인지 풀이 과정을 쓰고, 답을 구하세요. (20점)

힌트로 해결 끝!

금 한 돈, 금 두 돈이라고 셀 때의 '돈'은 귀금속이나 한약재의 무게를 잴 때 쓰는 단위예요.

1돈 = 3.75 g

답

거꾸로 풀며 나만의 문제를 완성해 보세요.

정답 및 풀이 > 9쪽

다음은 주어진 무게와 가격, 낱말, 조건을 활용해서 만든 문제를 보고 풀이 과정과 답을 구한 것입니다. 어떤 문제였을까요? 거꾸로 문제 만들기, 도전해 볼까요? (15점)

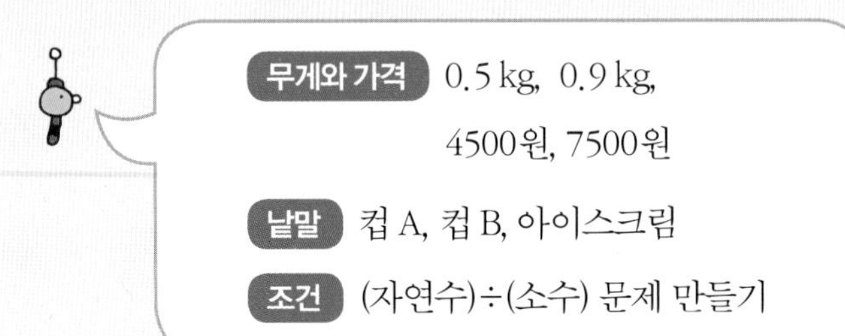

무게와 가격 0.5 kg, 0.9 kg, 4500원, 7500원

낱말 컵 A, 컵 B, 아이스크림

조건 (자연수)÷(소수) 문제 만들기

★ 힌트 ★
풀이를 보면 컵 A와 컵 B의 조건을 알 수 있어요.

문제

풀이

(컵 A에 있는 아이스크림 1 kg의 가격)=4500÷0.5=9000(원)

(컵 B에 있는 아이스크림 1 kg의 가격)=7500÷0.9=8333.3……(원)입니다.

따라서 9000>8333.3……이므로 컵 B에 있는 아이스크림이 더 저렴합니다.

답 컵 B

3. 공간과 입체

유형1 쌓기나무 개수 구하기(1)
쌓은 모양과 위에서 본 모양 이용

유형2 쌓기나무 개수 구하기(2)
위, 앞, 옆에서 본 모양 이용

유형3 쌓기나무 개수 구하기(3)
위에서 본 모양에 수를 쓰는 방법

유형4 쌓기나무 개수 구하기(4)
층별로 나타낸 모양 이용

쌓기나무 개수 구하기(1)
쌓은 모양과 위에서 본 모양 이용

대표 문제 맛보기

다음 모양과 똑같이 쌓는 데 필요한 쌓기나무의 개수를 구하려고 합니다. 풀이 과정을 쓰고, 답을 구하세요. (8점)

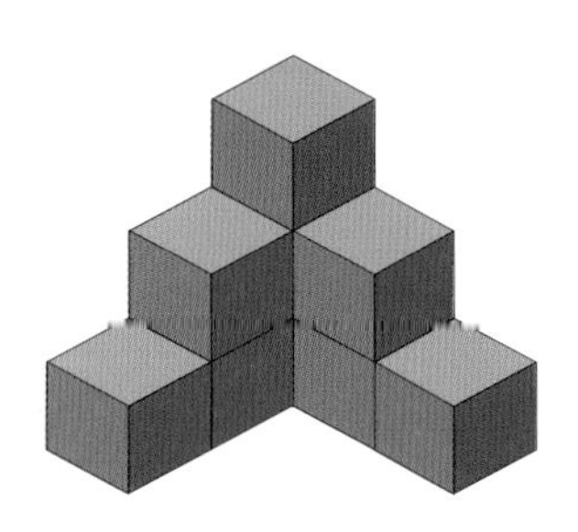

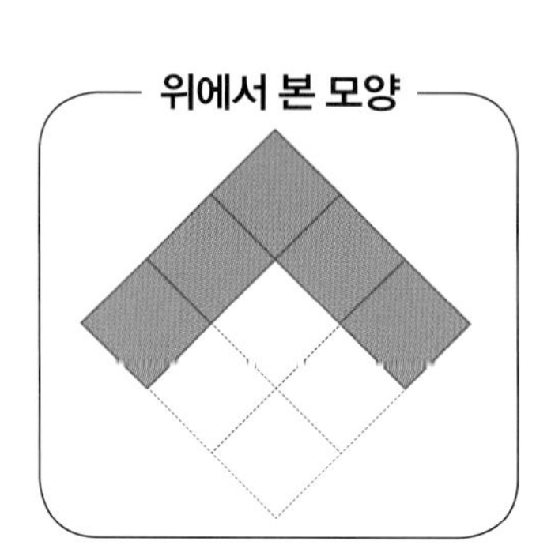

1단계 알고 있는 것 (1점) ☐로 쌓은 모양과 ☐에서 본 모양

2단계 구하려는 것 (1점) 똑같이 쌓는 데 필요한 ☐는 몇 개인지 구하려고 합니다.

3단계 문제 해결 방법 (2점) 1층, 2층, 3층에 쌓은 쌓기나무의 수를 (더합니다 , 뺍니다).

4단계 문제 풀이 과정 (3점) 위에서 본 모양은 1층에 쌓은 모양과 (같습니다 , 다릅니다). 1층에서 필요한 쌓기나무는 ☐개, 2층에서 필요한 쌓기나무는 ☐개, 3층에 필요한 쌓기나무는 ☐개이므로

☐ + 3 + ☐ = ☐(개)입니다.

5단계 구하려는 답 (1점) 따라서 주어진 모양과 똑같이 쌓는 데 필요한 쌓기나무는 ☐개입니다.

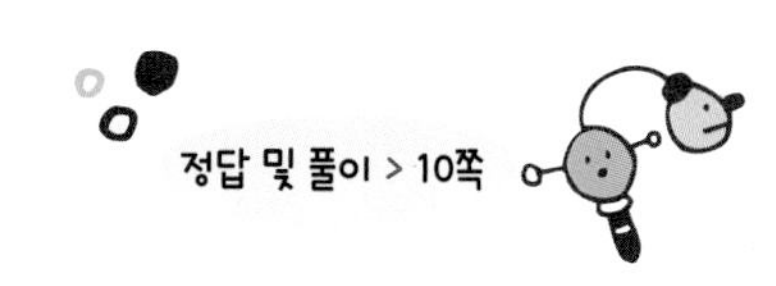

STEP 2 따라 풀어보기

쌓기나무로 쌓은 모양과 이를 위에서 본 모양입니다. 쌓기나무를 최대한 많이 사용하여 만들 때 필요한 쌓기나무는 몇 개인지 풀이 과정을 쓰고, 답을 구하세요. (9점)

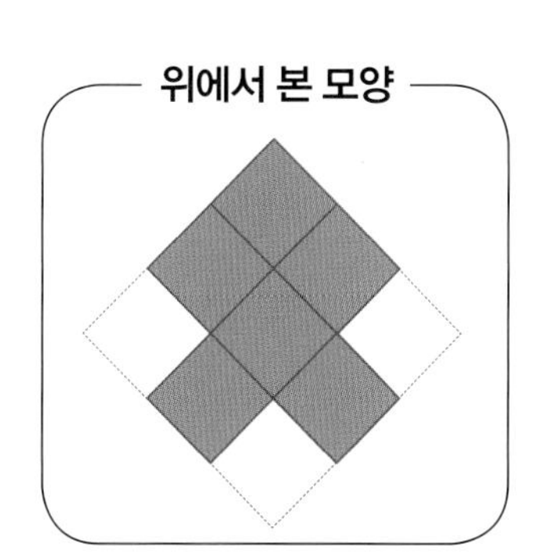

1단계 알고 있는 것 (1점) 쌓기나무로 쌓은 모양과 [ ]에서 본 모양

2단계 구하려는 것 (1점) 쌓기나무를 최대한 많이 사용하여 만들 때 필요한 [ ]는 몇 개인지 구하려고 합니다.

3단계 문제 해결 방법 (2점) 1층, 2층, 3층에 쌓인 쌓기나무의 수를 세어 모두 (더합니다 , 뺍니다).

4단계 문제 풀이 과정 (3점) 위에서 본 모양은 1층에 쌓은 모양과 같습니다. 쌓기나무를 최대한 많이 사용해서 쌓으려면 뒤에 숨겨진 쌓기나무가 [ ]개여야 하고 1층에는 [ ]개, 2층에 [ ]개, 3층에는 [ ]개를 쌓은 것이므로 모두 [ ] + [ ] + 3 = [ ](개)입니다.

5단계 구하려는 답 (2점)

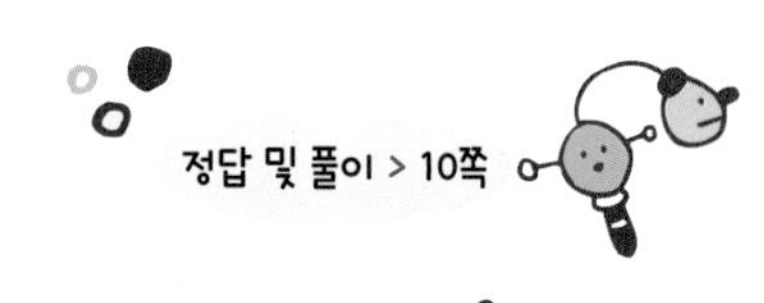

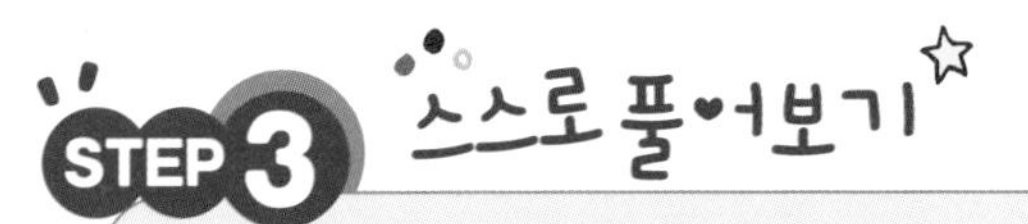

STEP 3 스스로 풀어보기

유형❶

1. 쌓은 모양과 위에서 본 모양을 보고 ㉮와 ㉯ 중 사용된 쌓기나무의 수가 더 많은 것은 어느 것인지 구하려고 합니다. 풀이 과정을 쓰고, 답을 구하세요. (10점)

㉮
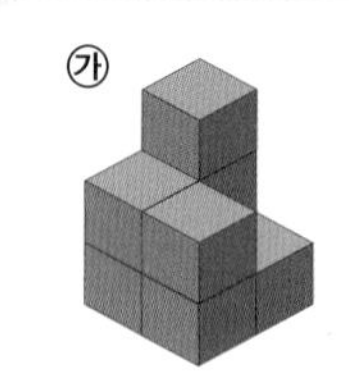
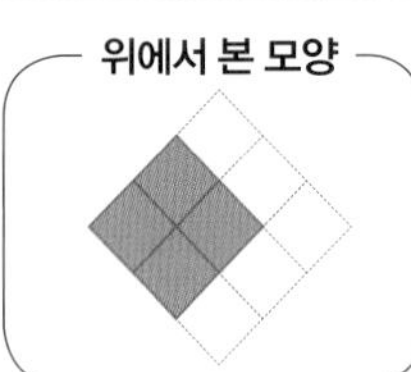

㉯
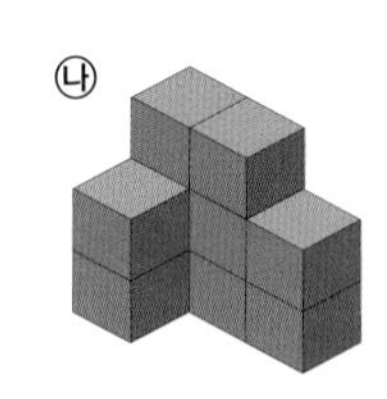

풀이

위에서 본 모양은 1층에 쌓은 모양과 같습니다.

㉮를 쌓는 데 사용된 쌓기나무는 4 + □ + □ = □ (개)이고,

㉯를 쌓는 데 사용된 쌓기나무는 □ + 4 + □ = □ (개)입니다.

□ < □ 이므로 사용된 쌓기나무가 더 많은 것은 □ 입니다.

답

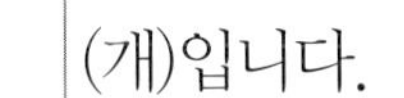

2. 쌓은 모양과 위에서 본 모양을 보고 ㉮와 ㉯ 중 사용된 쌓기나무의 수가 더 많은 것은 어느 것인지 구하려고 합니다. 풀이 과정을 쓰고, 답을 구하세요. (15점)

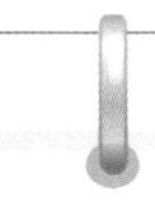

㉮
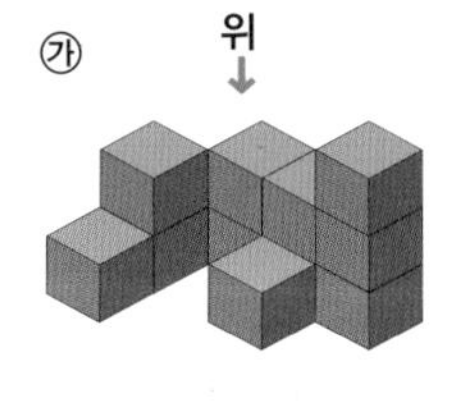

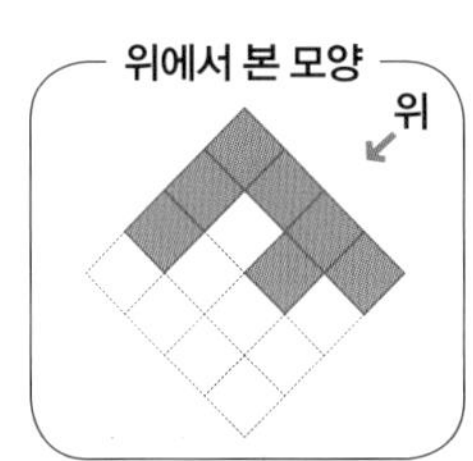

㉯
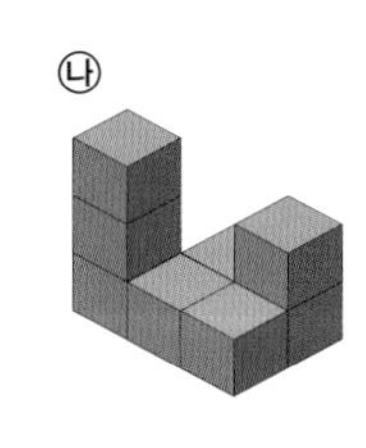

풀이

답

쌓기나무 개수 구하기(2)

위, 앞, 옆에서 본 모양 이용

정답 및 풀이 > 10쪽

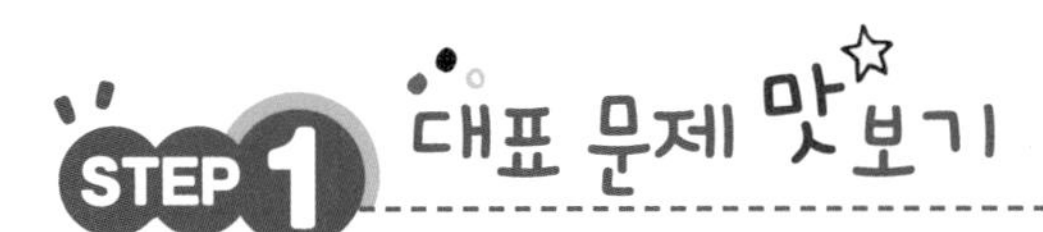

쌓기나무로 쌓은 모양을 위에서 본 모양입니다. 앞에서 본 모양과 옆에서 본 모양은 무엇인지 풀이 과정을 쓰고, 답을 구하세요. (8점)

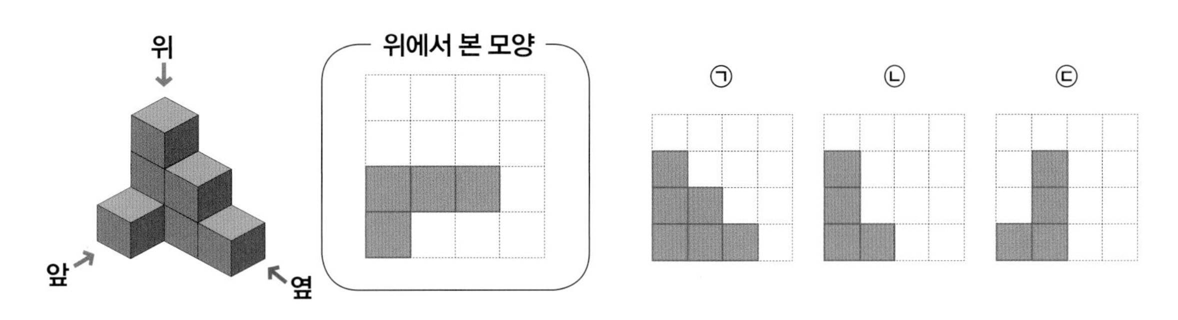

1단계 알고 있는 것 (1점) ☐로 쌓은 모양과 ☐에서 본 모양

2단계 구하려는 것 (1점) 쌓기나무를 보고 ☐에서 본 모양과 ☐에서 본 모양을 구하려고 합니다.

3단계 문제 해결 방법 (2점) 위에서 본 모양을 보고 뒤에 숨겨진 쌓기나무가 있는지 확인합니다.
☐과 옆에서 본 모양은 각 줄의 가장 (높은 , 낮은) 층의 모양이 보이는 것과 같습니다.

4단계 문제 풀이 과정 (3점) 위에서 본 모양을 보면 뒤에 숨겨진 쌓기나무가 (있습니다 , 없습니다).
쌓은 모양을 앞에서 보면 왼쪽 줄부터 ☐층, 2층, ☐층으로 보이고, 옆에서 보면 왼쪽 줄부터 ☐층, ☐층으로 보입니다.

5단계 구하려는 답 (1점) 따라서 앞에서 본 모양은 ☐이고, 옆에서 본 모양은 ☐입니다.

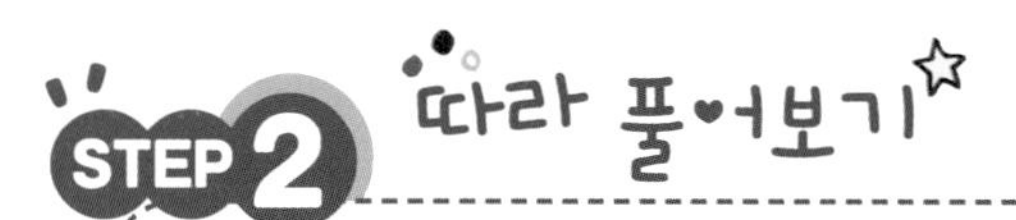

쌓기나무로 쌓은 모양을 위, 앞, 옆에서 본 모양입니다. 다음과 같이 쌓는 데 사용된 쌓기나무의 개수는 몇 개인지 구하기 위해 위에서 본 모양의 각 자리에 오른쪽과 같이 기호를 썼습니다. 풀이 과정을 쓰고, 답을 구하세요. (9점)

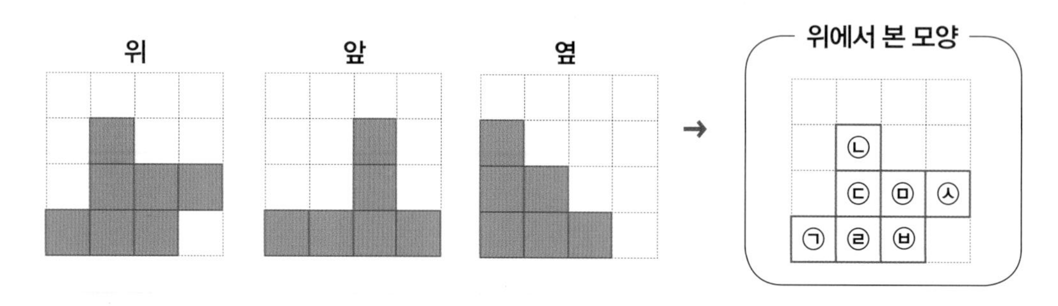

1단계 알고 있는 것 (1점)

☐, ☐, ☐에서 본 모양

2단계 구하려는 것 (1점)

쌓는 데 사용된 ☐는 몇 개인지 구하려고 합니다.

3단계 문제 해결 방법 (2점)

위에서 본 모양은 1층에 쌓은 모양과 같습니다. 위에서 본 모양의 각 자리에 쌓은 쌓기나무의 수를 구하여 모두 (더합니다 , 뺍니다).

4단계 문제 풀이 과정 (3점)

위에서 본 모양은 1층에 쌓은 모양과 같습니다. 각 자리에 기호를 쓰고 앞에서 본 모양을 보면 ㉠, ㉡, ㉢, ㉣, ㉦은 각각 ☐개이고 옆에서 본 모양을 보면 ☐은 3개이고 ☐은 2개임을 알 수 있습니다. ㉠+㉡+㉢+㉣+㉤+㉥+㉦ =1+1+☐+1+☐+☐+1=☐(개)입니다.

5단계 구하려는 답 (2점)

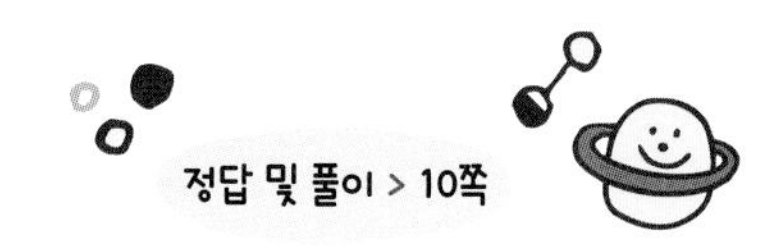

STEP 3 스스로 풀어보기

1. 쌓기나무로 쌓은 모양을 위, 앞, 옆에서 본 모양입니다. 사용한 쌓기나무의 최대, 최소 개수의 합을 구하는 풀이 과정을 쓰고, 답을 구하세요. (10점)

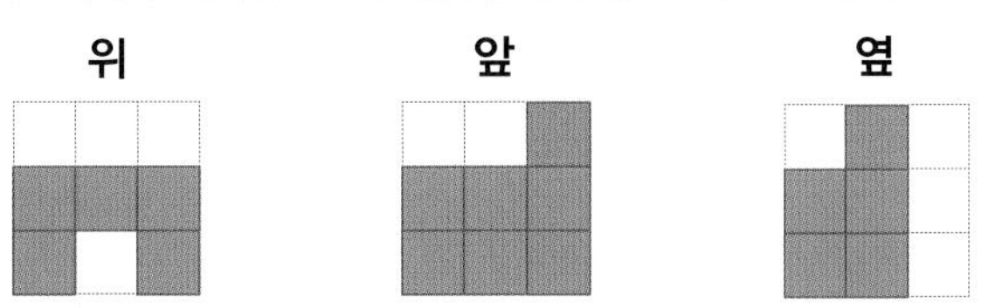

풀이

위 위

위에서 본 모양의 각 자리에 쌓은 쌓기나무 수를 쓰면 다음과 같습니다. (직접 써 보세요.)

쌓은 쌓기나무가 가장 많은 경우는 ☐개이고 가장 적은 경우는 ☐개입니다. 따라서 가장 많은 경우와 가장 적은 경우의 쌓기나무 수의 합은 ☐ + ☐ = ☐(개)입니다.

답 ____________

2. 쌓기나무로 쌓은 모양을 위, 앞, 옆에서 본 모양입니다. 사용한 쌓기나무의 최대, 최소 개수의 차를 구하는 풀이 과정을 쓰고, 답을 구하세요. (15점)

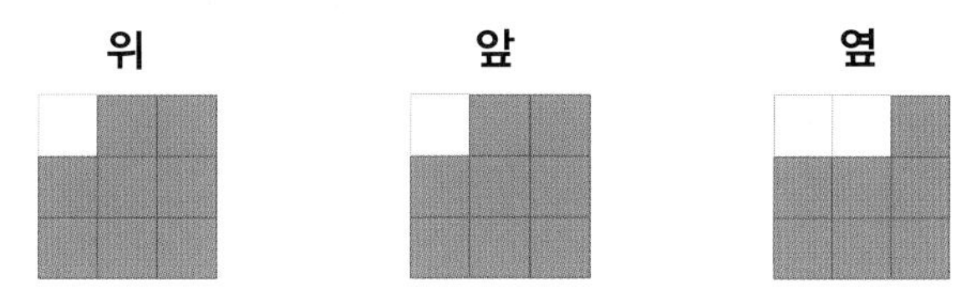

답 ____________

STEP 1 대표 문제 맛보기

쌓기나무로 쌓은 모양을 보고 위에서 본 모양을 그린 것입니다. 쌓기나무 75개로 이와 같은 모양을 몇 개까지 만들 수 있고 남는 쌓기나무는 몇 개인지 풀이 과정을 쓰고, 답을 구하세요. (단, 위에서 본 모양의 각 자리에 수를 쓰고 해결하세요.) (8점)

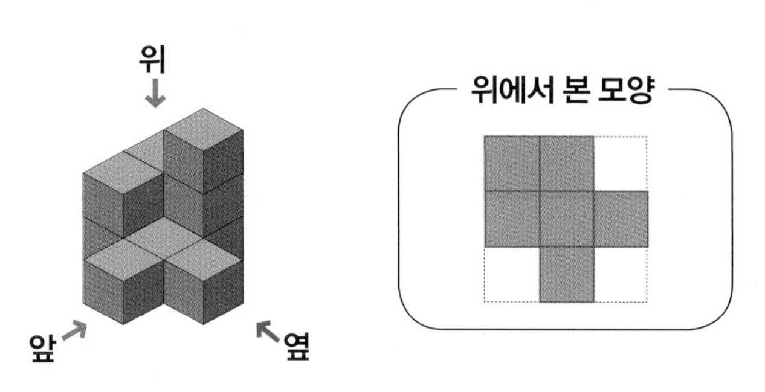

1단계 알고 있는 것 (1점)

쌓기나무로 쌓은 모양과 □ 에서 본 모양

2단계 구하려는 것 (1점)

쌓기나무 □ 개로 이와 같은 모양을 몇 개까지 만들 수 있고 남는 □ 는 몇 개인지 구하려고 합니다.

3단계 문제 해결 방법 (2점)

위에서 본 모양의 각 자리에 쌓은 쌓기나무의 □ 를 쓰고 모두 (더해서 , 빼서) 같은 모양 한 개를 만드는 데 필요한 쌓기나무의 수를 구합니다.

4단계 문제 풀이 과정 (3점)

위에서 본 모양의 각 자리에 쌓은 쌓기나무의 수를 쓰고 더하면 $2+2+3+$ □ $+$ □ $+$ □ $=$ □ 이므로 이와 같은 모양 한 개를 만드는 데 쌓기나무 10개가 필요합니다. $75 \div 10=$ □ … □ 입니다.

2	3	
□	□	□
	□	

5단계 구하려는 답 (1점)

따라서 쌓기나무 75개로 이와 같은 모양을 □ 개까지 만들 수 있고 남는 쌓기나무는 □ 개입니다.

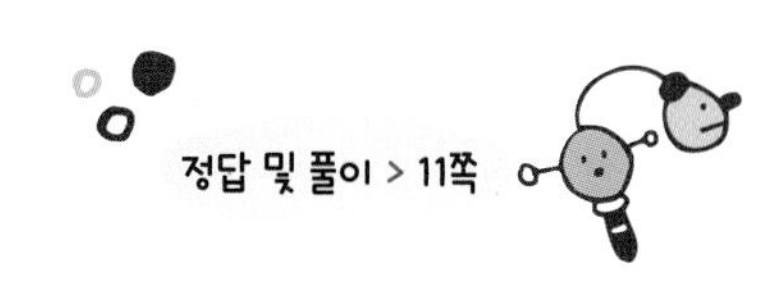

STEP 2 따라 풀어보기

쌓기나무로 쌓은 모양을 보고 위에서 본 모양에 수를 썼습니다. 쌓기나무 60개로 이와 같은 모양을 몇 개까지 만들 수 있고 남는 쌓기나무는 몇 개인지 풀이 과정을 쓰고, 답을 구하세요. (9점)

3	2	1
1	1	

1단계 알고 있는 것 (1점) ☐에서 본 모양의 각 자리에 쓰인 수

2단계 구하려는 것 (1점) 쌓기나무 ☐개로 이와 같은 모양을 몇 개까지 만들 수 있고 남는 ☐는 몇 개인지 구하려고 합니다.

3단계 문제 해결 방법 (2점) 위에서 본 모양의 각 자리에 쓰여 있는 수를 모두 (더해서 , 빼서) 같은 모양 한 개를 만드는 데 필요한 ☐의 수를 구합니다.

4단계 문제 풀이 과정 (3점) 위에서 본 모양의 각 자리에 쓰여 있는 수를 모두 더하면 $3+☐+2+☐+☐=☐$이므로 이와 같은 모양 한 개를 만드는 데 쌓기나무 ☐개가 필요합니다. $60 \div 8=☐ \cdots ☐$입니다.

5단계 구하려는 답 (2점)

정답 및 풀이 > 11쪽

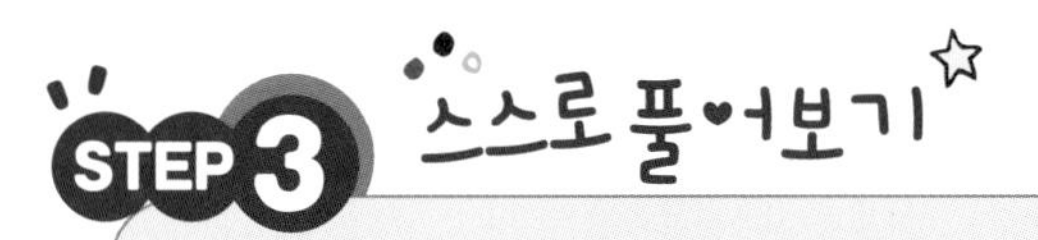

1. 쌓기나무를 27개를 사용하여 만든 정육면체 모양에서 쌓기나무 몇 개를 빼내고 남은 모양을 위에서 본 모양에 수를 쓴 것입니다. 빼낸 쌓기나무는 몇 개인지 풀이 과정을 쓰고, 답을 구하세요. (10점)

		2
1	1	3
	2	1

풀이

쌓기나무를 빼내고 남은 쌓기나무의 수는 $1+1+2+2+\square+1=\square$(개)입니다.

따라서 빼낸 쌓기나무의 수는 $\square-10=\square$(개)입니다.

답 ______________________

2. 한 모서리에 쌓기나무 4개씩을 쌓아서 만든 정육면체 모양에서 쌓기나무 몇 개를 빼내고 남은 모양을 위에서 본 모양에 수를 쓴 것입니다. 빼낸 쌓기나무는 몇 개인지 풀이 과정을 쓰고, 답을 구하세요. (15점)

1		2	1
1	2	1	4
2	1		
	3		

풀이

답 ______________________

쌓기나무 개수 구하기(4)
층별로 나타낸 모양 이용

정답 및 풀이 > 12쪽

쌓기나무로 쌓은 모양을 층별로 나타낸 모양입니다. 사용한 쌓기나무의 개수를 쓰고, 쌓은 모양으로 알맞은 것은 무엇인지 기호로 답하려고 합니다. 풀이 과정을 쓰고, 답을 구하세요. (8점)

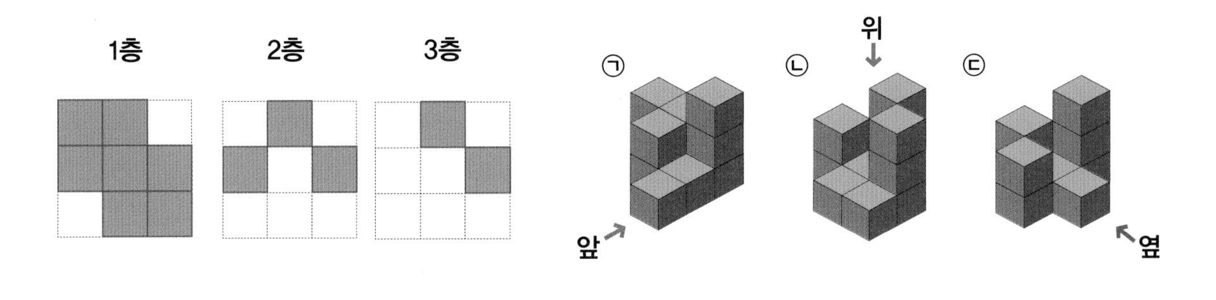

1단계 알고 있는 것 (1점) 쌓기나무로 쌓은 모양을 [ ]로 나타낸 모양과 쌓은 모양 ㉠, ㉡, ㉢

2단계 구하려는 것 (1점) 사용한 [ ]의 개수를 쓰고, 쌓은 모양으로 알맞은 것은 무엇인지 [ ]로 답하려고 합니다.

3단계 문제 해결 방법 (2점) 각 층에 쌓은 쌓기나무의 수를 (더합니다 , 뺍니다).
2층과 3층의 쌓기나무는 바로 아래층에 쌓은 모양 위에 (위치 , 방향)에 맞게 쌓아야 합니다.

4단계 문제 풀이 과정 (3점) 쌓여 있는 쌓기나무의 수가 1층에는 [ ]개, 2층에는 [ ]개, 3층에는 [ ]개가 있으므로 [ ] + [ ] + [ ] = [ ](개)가 쌓여 있고, 1층 위에 위치를 맞추어 2층을 쌓고 2층 위에 위치를 맞추어 3층을 쌓은 것은 [ ]입니다.

5단계 구하려는 답 (1점) 따라서 쌓은 쌓기나무 수는 [ ]개이고 쌓은 모양으로 알맞은 것은 [ ]입니다.

따라 풀어보기

왼쪽은 수지, 선주, 나경이가 쌓은 모양 중 하나를 층별로 나타낸 모양입니다. 사용한 쌓기나무의 개수를 쓰고, 누가 쌓은 것인지 풀이 과정을 쓰고, 답을 구하세요. (9점)

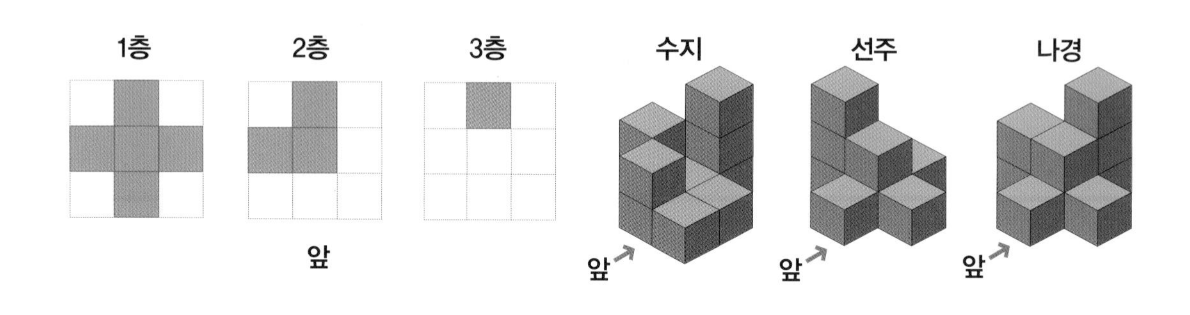

1단계 알고 있는 것 (1점)

쌓기나무로 쌓은 모양을 [   ] 로 나타낸 모양과
수지, 선주, 나경이가 쌓은 모양

2단계 구하려는 것 (1점)

사용한 [   ] 의 개수를 쓰고 누가 쌓은 것인지 구하려고 합니다.

3단계 문제 해결 방법 (2점)

각 층에 쌓은 쌓기나무의 수를 (더합니다 , 뺍니다). 2층과 3층의 쌓기나무는 바로 아래층에 쌓은 모양 위에 (위치 , 방향)에 맞게 쌓아야 합니다.

4단계 문제 풀이 과정 (3점)

쌓여 있는 쌓기나무의 수가 1층에는 [   ] 개, 2층에는 [   ] 개,
3층에는 [   ] 개가 있으므로 5 + [   ] + 1 = [   ] (개)이고 1층 위에
위치를 맞추어 2층을 쌓고 2층 위에 위치를 맞추어 3층을 쌓은 사람은
[   ] 입니다.

5단계 구하려는 답 (2점)

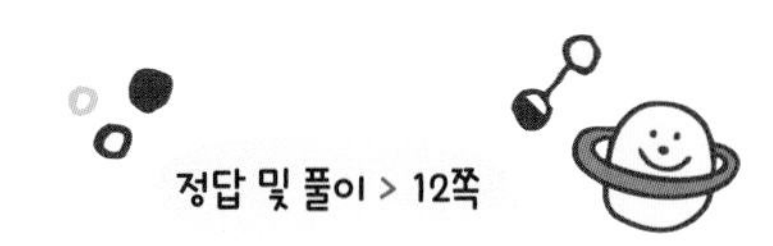

1. 쌓기나무로 쌓은 모양을 보고 위에서 본 모양에 수를 쓴 것입니다. 2층에 사용된 쌓기나무는 몇 개인지 풀이 과정을 쓰고, 답을 구하세요. (10점)

	4		
3	2	4	
	1	3	2

풀이

2층에 사용된 쌓기나무는 □ 이상의 수가 쓰여 있는 칸의 수를 세어 봅니다. 각 칸에 있는 수가 2 이상인 칸은 □ 칸이므로 2층에 사용된 쌓기나무는 □ 개입니다.

답 ______________

2. 쌓기나무로 쌓은 모양을 보고 위에서 본 모양에 수를 쓴 것입니다. 3층에 사용된 쌓기나무는 몇 개인지 풀이 과정을 쓰고, 답을 구하세요. (15점)

1	4	3	
	4	3	
2	1		
	4	2	3

풀이

답 ______________

실력 다지기

스스로 문제를 풀어보며 실력을 높여보세요.

쌓기나무 10개로 쌓은 모양입니다. 쌓기나무에서 ①을 빼냈을 때 빼내기 전과 달라진 모양은 무엇인지 풀이 과정을 쓰고, 답을 구하세요. (20점)

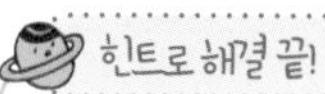

쌓기나무 ①을 빼내기 전과 후의 쌓기나무 모양의 위, 앞, 옆에서 본 모양을 알아보세요.

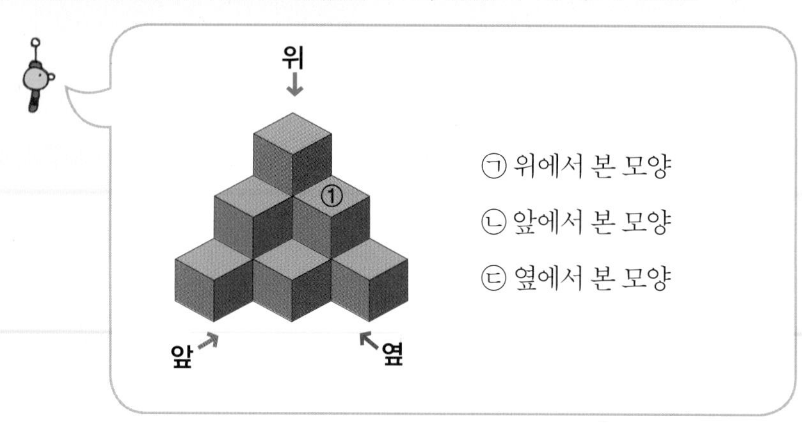

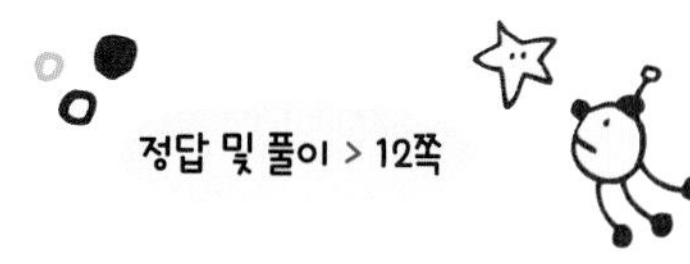
정답 및 풀이 > 12쪽

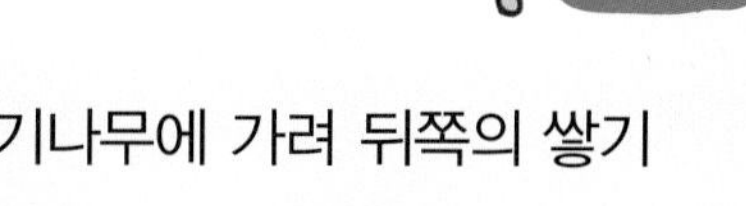

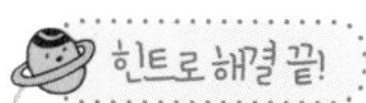

가장 적게 사용된 경우 : 확실히 셀 수 있는 쌓기나무의 수

가장 많이 사용된 경우 : 확실히 셀 수 있는 쌓기나무 뒤에 있는 보이지 않는 쌓기나무의 수를 생각해요.

다음은 혜진이가 쌓은 쌓기나무입니다. 앞쪽의 쌓기나무에 가려 뒤쪽의 쌓기나무가 보이지 않는다고 합니다. 쌓기나무의 개수를 잘못 이야기한 친구는 누구인지 풀이 과정을 쓰고, 답을 구하세요. (20점)

진영	윤주	아린	동진
9개	11개	12개	13개

답

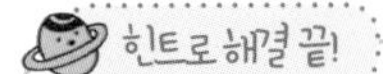

쌓기나무로 쌓은 모양을 보고 위에서 본 모양에 수를 쓴 것입니다. 준기는 앞에서 보았을 때 보이는 쌓기나무의 면의 수를, 아영이는 옆에서 보았을 때 보이는 쌓기나무의 면의 수를 구하였습니다. 준기와 아영이가 구한 쌓기나무의 면의 수의 차는 몇 개인지 풀이 과정을 쓰고, 답을 구하세요. (20점)

힌트로 해결 끝!

앞과 옆에서 본 모양의 면의 수는 각 줄의 가장 큰 수를 더한 것과 같아요.

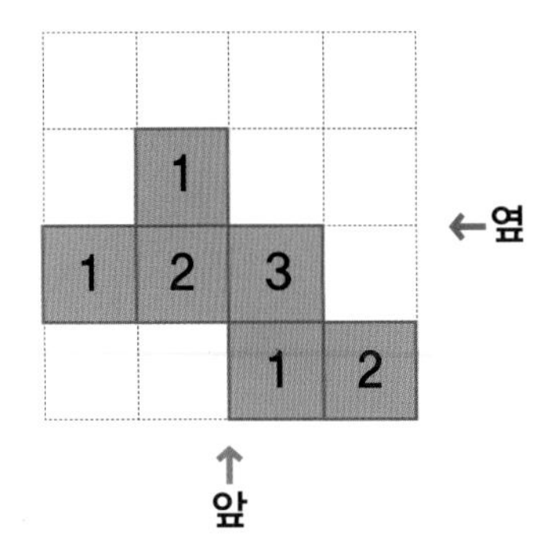

답

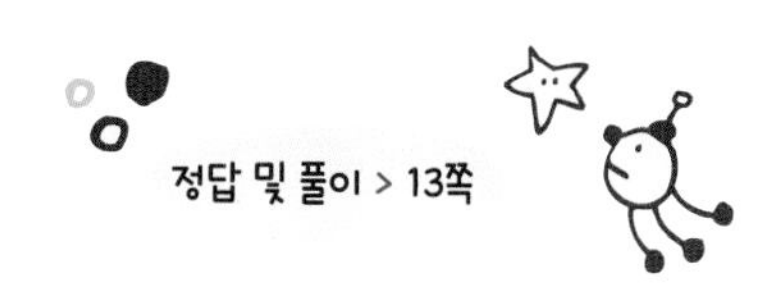

창의융합

정연이과 수호는 쌓기나무 64개를 정육면체 모양으로 쌓고 페인트로 칠하였습니다. 어느 한 면도 칠해지지 않은 쌓기나무의 수를 ㉠, 한 면에만 칠해진 쌓기나무의 수를 ㉡, 두 면에 칠해진 쌓기나무의 수를 ㉢, 세 면에 칠해진 쌓기나무의 수를 ㉣이라 할 때, (㉠+㉡)×㉢−㉣은 얼마인지 풀이 과정을 쓰고, 답을 구하세요. (20점)

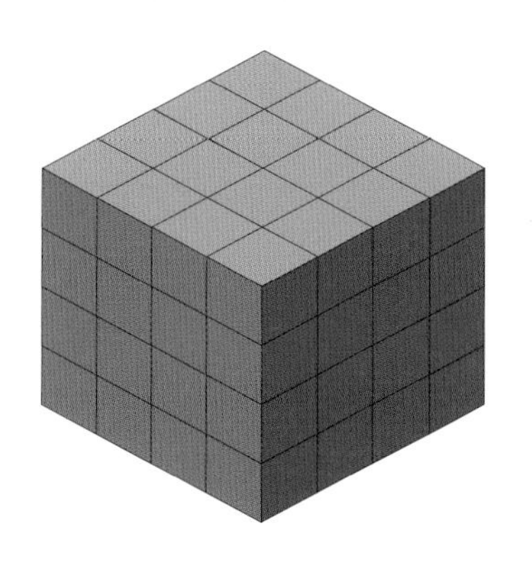

힌트로 해결 끝!

한 면이 칠해진 곳은 각 면의 가운데 쌓기나무

두 면이 칠해진 곳은 모서리의 가운데 있는 쌓기나무

세 면이 칠해진 곳은 꼭짓점에 있는 쌓기나무

답

거꾸로 풀며 나만의 문제를 완성해 보세요.

정답 및 풀이 > 13쪽

다음은 주어진 그림과 조건을 활용해서 만든 문제를 보고 풀이 과정과 답을 구한 것입니다.
어떤 문제였을까요? 거꾸로 문제 만들기, 도전해 볼까요? (15점)

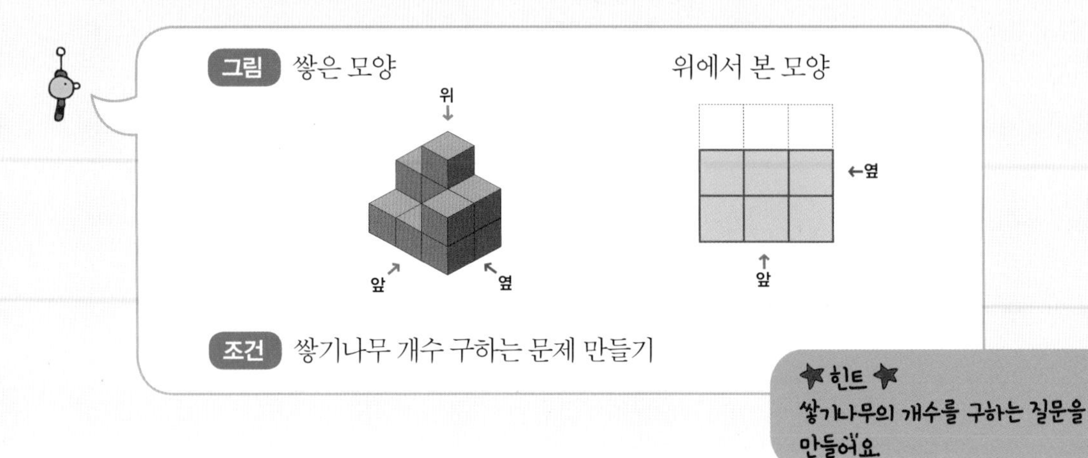

★ 힌트 ★
쌓기나무의 개수를 구하는 질문을 만들어요.

문제

풀이

위에서 본 모양은 쌓은 모양의 1층에 쌓은 모양과 같습니다.
따라서 똑같이 쌓는 데 필요한 쌓기나무는 1층에 6개, 2층에 4개, 3층에 1개로 모두 6+4+1=11(개)입니다.

답 11개

4. 비례식과 비례배분

- 유형1 비의 성질
- 유형2 간단한 자연수의 비 - 분수와 소수의 비
- 유형3 비례식의 성질
- 유형4 비례배분

비의 성질

STEP 1 대표 문제 맛보기

가로와 세로의 비가 15:8인 직사각형 모양의 책상이 있습니다. 이 책상의 가로가 90 cm일 때 세로는 몇 cm인지 비의 성질을 이용해 구하는 풀이 과정을 쓰고, 답을 구하세요. (8점)

1단계 알고 있는 것 (1점)

가로와 세로의 비가 ☐ : ☐ 인 직사각형 모양의 책상

책상의 가로 : ☐ cm

2단계 구하려는 것 (1점)

가로와 세로의 비가 15 : 8인 책상의 ☐ 를 구하려고 합니다.

3단계 문제 해결 방법 (2점)

비의 각 항에 ☐ 이 아닌 (같은 , 다른) 수를 곱하여도 ☐ 은 같습니다.

4단계 문제 풀이 과정 (3점)

가로와 세로의 비 15 : 8에서 전항은 ☐ 이고 후항은 ☐ 입니다. 전항인 ☐ 에 ☐ 을 곱하면 90이므로 후항에도 ☐ 을 곱하여야 합니다.

15 : 8 → (15 × ☐) : (8 × ☐) → 90 : ☐ 입니다.

5단계 구하려는 답 (1점)

따라서 책상의 세로는 ☐ cm입니다.

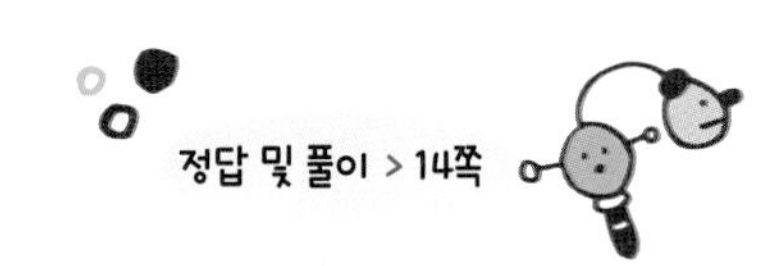

STEP 2 따라 풀어보기

지연이가 11일 동안 받은 용돈은 16500원입니다. 매일 받는 용돈이 일정하다고 할 때, 지연이가 하루에 받은 용돈은 얼마인지 비의 성질을 이용해 구하는 풀이 과정을 쓰고, 답을 구하세요. (9점)

1단계 알고 있는 것 (1점) 지연이가 11일 동안 받은 용돈 : ☐원

2단계 구하려는 것 (1점) 지연이가 ☐에 받은 용돈을 구하려고 합니다.

3단계 문제 해결 방법 (2점) 비의 전항과 후항을 ☐이 아닌 (같은 , 다른) 수로 나누어도 ☐은 같습니다.

4단계 문제 풀이 과정 (3점) ☐일 동안 받은 용돈이 16500원이므로 날 수와 용돈의 비는 ☐ : 16500입니다. 하루에 받은 용돈을 구하려면 ☐일을 ☐로 나누어야 하므로 비의 전항과 후항을 ☐이 아닌 (같은 , 다른) 수 ☐로 나누면 (11 ÷ ☐) : (16500 ÷ ☐) → 1 : ☐입니다.

5단계 구하려는 답 (2점)

---

123 이것만 알면 문제해결 OK!

비의 성질

12 : 4
(전항) : (후항)

- 비의 전항과 후항에 0이 아닌 같은 수를 곱하여도 비율은 같습니다.
  - 12 : 4 → (12×2) : (4×2) → 28 : 8
- 비의 전항과 후항을 0이 아닌 같은 수로 나누어도 비율은 같습니다.
  - 12 : 4 → (12÷2) : (4÷2) → 6 : 2

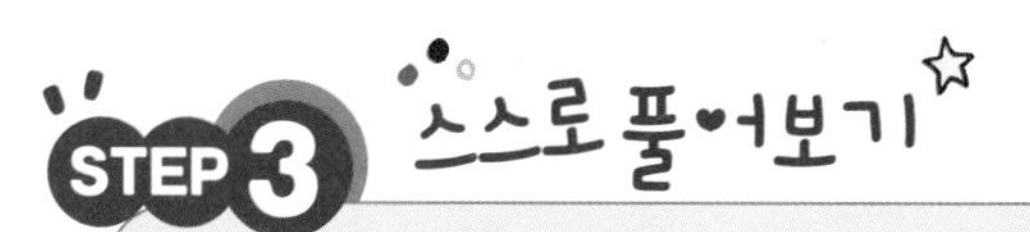

1. 어떤 사다리꼴의 윗변의 길이와 아랫변의 길이의 비는 7:5입니다. 아랫변의 길이가 15 cm라면 윗변의 길이와 아랫변의 길이의 합은 몇 cm인지 비의 성질을 이용해 구하려고 합니다. 풀이 과정을 쓰고, 답을 구하세요. (10점)

풀이

윗변의 길이와 아랫변의 길이의 비가 7 : 5이므로 아랫변의 길이가 ☐cm가 되려면 비의 후항에 ☐을 곱하여야 하므로 전항에도 똑같이 ☐을 곱하면 윗변의 길이는

7 × ☐ = ☐(cm)입니다.

따라서 (윗변의 길이)+(아랫변의 길이) = ☐ + 15 = ☐(cm)입니다.

답 ____________

2. 가로와 세로의 비가 8:3인 직사각형이 있습니다. 이 직사각형의 가로가 240 cm라면 넓이는 몇 cm^2인지 풀이 과정을 쓰고, 답을 구하세요. (15점)

풀이

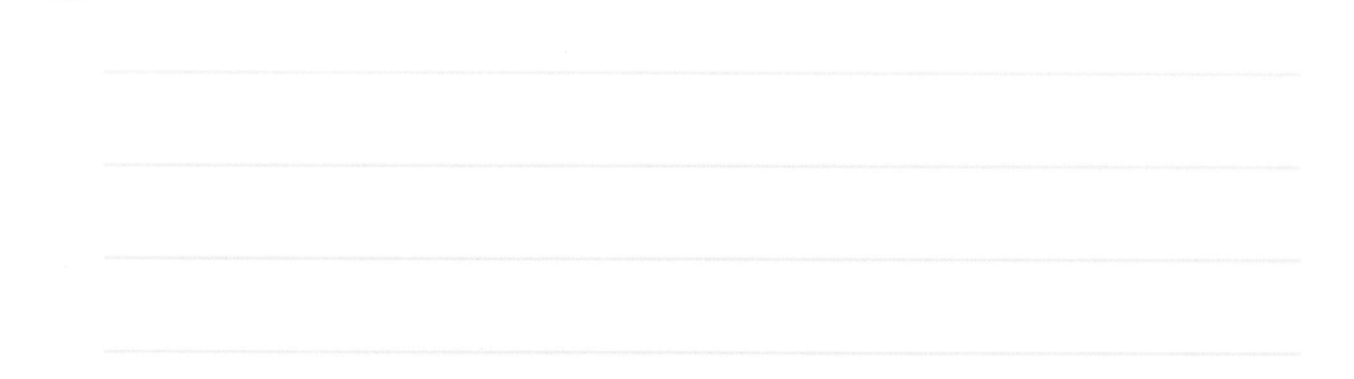

답 ____________

간단한 자연수의 비-분수와 소수의 비

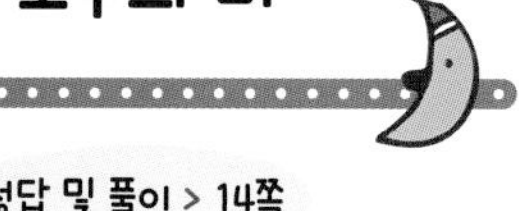

정답 및 풀이 > 14쪽

STEP 1 대표 문제 맛보기

평행사변형의 밑변의 길이는 2.4 cm이고, 높이는 $1\frac{1}{4}$ cm입니다. 밑변의 길이와 높이의 비를 가장 간단한 자연수의 비로 나타내려고 합니다. 풀이 과정을 쓰고, 답을 구하세요. (단, 분수를 소수로 바꿉니다.) (8점)

1단계 알고 있는 것 (1점)
평행사변형의 밑변의 길이 ☐ cm,
평행사변형의 높이 : ☐ cm

2단계 구하려는 것 (1점)
평행사변형의 밑변의 길이와 ☐의 비를 가장 간단한 ☐의 비로 나타내려고 합니다.

3단계 문제 해결 방법 (2점)
분수를 ☐로 바꾸어 가장 간단한 ☐의 비로 나타냅니다.

4단계 문제 풀이 과정 (3점)
$1\frac{1}{4}$을 소수로 바꾸면 ☐입니다. 2.4 : ☐의 전항과 후항에 ☐을 곱하면 240 : ☐이고 전항과 후항을 최대공약수인 ☐로 나누면 ☐ : ☐입니다.

5단계 구하려는 답 (1점)
따라서 평행사변형의 밑변의 길이와 높이의 비를 가장 간단한 자연수의 비로 나타내면 ☐ : ☐입니다.

STEP 2 따라 풀어보기

빨간색 바구니와 파란색 바구니의 무게의 비를 가장 간단한 자연수의 비로 나타내려고 합니다. 풀이 과정을 쓰고, 답을 구하세요. (단, 소수를 분수로 바꿉니다.) (9점)

빨간색 바구니의 무게 : 1.1 kg　　파란색 바구니의 무게 : $2\frac{1}{9}$ kg

1단계 알고 있는 것 (1점)

빨간색 바구니의 무게 : ☐ kg

파란색 바구니의 무게 : ☐ kg

2단계 구하려는 것 (1점)

빨간색 바구니와 파란색 바구니의 ☐ 의 비를 가장 간단한 ☐ 의 비로 나타내려고 합니다.

3단계 문제 해결 방법 (2점)

소수를 ☐ 로 바꾸어 가장 간단한 ☐ 의 비로 나타냅니다.

4단계 문제 풀이 과정 (3점)

(빨간색 바구니의 무게) : (파란색 바구니의 무게)는 1.1 : $2\frac{1}{9}$ 이고

1.1 = ☐ 이므로 ☐ : $2\frac{1}{9}$ 입니다. 대분수를 가분수로 바꾸면

☐ : ☐ 이고, 분모 10과 9의 최소공배수는 ☐ 이므로

전항과 후항에 ☐ 을 곱하면 ☐ : ☐ 입니다.

5단계 구하려는 답 (2점)

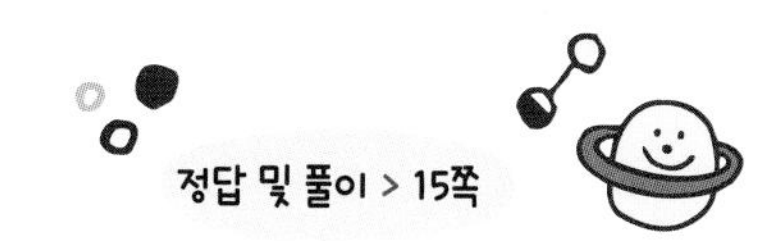

1. 삼각형 ㉮와 ㉯의 밑변의 길이는 서로 같고 삼각형 ㉮의 높이는 $\frac{5}{2}$ cm, 삼각형 ㉯의 높이는 $\frac{8}{3}$ cm입니다. 삼각형 ㉮와 ㉯의 넓이의 비를 비의 성질을 이용하여 가장 간단한 자연수의 비로 나타내려고 합니다. 풀이 과정을 쓰고, 답을 구하세요. (10점)

풀이

삼각형 ㉮와 ㉯의 밑변의 길이를 □ cm라 하면

(㉮의 넓이) = □ × ☐ ÷ 2 = ☐ × □ (cm^2)이고

(㉯의 넓이) = □ × ☐ ÷ 2 = ☐ × □ (cm^2)입니다.

(㉮의 넓이) : (㉯의 넓이) → (☐ × □) : (☐ × □) → ☐ : ☐

→ ☐ × ☐ : ☐ × ☐ → ☐ : ☐ 입니다.

분모의 최소공배수를 구해보세요.

답 ____________________

2. 직사각형 ㉮와 ㉯의 세로는 서로 같고 ㉮의 가로가 8 cm, ㉯의 가로가 12 cm일 때, 직사각형 ㉮와 ㉯의 넓이의 비를 비의 성질을 이용하여 가장 간단한 자연수의 비로 나타내려고 합니다. 풀이 과정을 쓰고, 답을 구하세요. (15점)

답 ____________________

STEP 1 대표 문제 맛보기

다음 두 비례식에서 ㉠과 ㉡에 들어갈 수는 무엇인지 비례식의 성질을 이용하여 구하는 풀이 과정을 쓰고, 답을 구하세요. (8점)

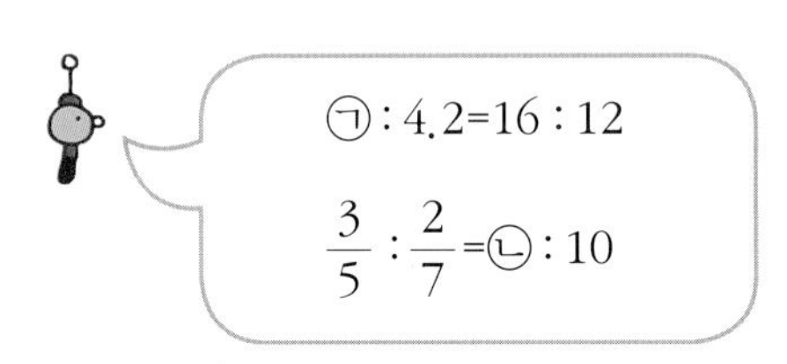

1단계 알고 있는 것 (1점) 두 비례식 ㉠ : □ = □ : 12

□ : $\frac{2}{7}$ = ㉡ : 10

2단계 구하려는 것 (1점) 두 비례식에서 □과 □에 들어갈 수를 구하려고 합니다.

3단계 문제 해결 방법 (2점) 비례식은 □의 곱과 내항의 곱이 (같습니다 , 다릅니다).

4단계 문제 풀이 과정 (3점) ㉠ : 4.2 = 16 : 12에서 ㉠ × 12 = □ × 16이므로

㉠ × 12 = □, ㉠ = □입니다.

$\frac{3}{5}$: $\frac{2}{7}$ = ㉡ : 10에서 □ × 10 = $\frac{2}{7}$ × ㉡이므로

$\frac{2}{7}$ × ㉡ = □, ㉡ = □입니다.

5단계 구하려는 답 (1점) 따라서 두 비례식에서 ㉠은 □이고 ㉡은 □입니다.

STEP 2 따라 풀어보기

선물 상자의 가로와 세로의 비는 5:7입니다. 선물 상자의 세로가 35 cm일 때 가로는 몇 cm인지 비례식의 성질을 이용하여 구하는 풀이 과정을 쓰고, 답을 구하세요. (9점)

1단계 알고 있는 것 (1점)

선물 상자의 가로와 세로의 비 : ☐ : ☐

선물 상자의 세로 : ☐ cm

2단계 구하려는 것 (1점)

선물 상자의 세로가 35 cm일 때 ☐ 는 몇 cm인지 구하려고 합니다.

3단계 문제 해결 방법 (2점)

비례식은 ☐ 의 곱과 내항의 곱이 (같습니다 , 다릅니다).

가로를 □ cm라 하고 ☐ 을 세워 해결합니다.

4단계 문제 풀이 과정 (3점)

선물 상자의 가로와 세로의 비는 5 : 7이고 가로를 □ cm, 세로를 ☐ cm라 하여 비례식을 세우면 5 : 7 = □ : ☐ 입니다.

비례식은 외항의 곱과 내항의 곱이 같으므로 5 × ☐ = 7 × □이고, 7 × □ = ☐ , □ = ☐ 입니다.

5단계 구하려는 답 (2점)

이것만 알면 문제해결 OK!

비례식의 성질 알아보기

2:9=10:45

☆ 비례식에서 외항의 곱은 내항의 곱과 같습니다.

- (외항의 곱)=2×45=90
- (내항의 곱)=9×10=90

STEP 3 스스로 풀어보기

1. 어느 뷔페 음식점에서 청소년과 성인의 저녁 식사 가격의 비는 9:13입니다. 비례식의 성질을 이용하여 성인의 저녁 식사 가격이 26000원일 때 청소년의 저녁 식사 가격은 얼마인지 풀이 과정을 쓰고, 답을 구하세요. (10점)

풀이

청소년의 저녁 식사 가격을 □원이라 하면 9 : 13 = □ : [ ] 이고 비례식에서

외항의 곱과 내항의 곱이 같으므로 9 × [ ] = [ ] × □,

[ ] × □= [ ], □ = [ ] 입니다.

따라서 청소년의 저녁 식사 가격은 [ ] 원입니다.

답 ______

2. 연경이의 몸무게에 대한 우경이의 몸무게의 비율이 $\frac{5}{6}$ 입니다. 연경이의 몸무게가 54 kg일 때 우경이의 몸무게는 몇 kg인지 풀이 과정을 쓰고, 답을 구하세요. (15점)

답 ______

정답 및 풀이 > 16쪽

STEP 1 대표 문제 맛보기

승준이와 예지는 할아버지 생신 선물로 20000원짜리 모자를 사려고 합니다. 승준이와 예지가 낸 돈의 비가 9:7이라면 비례배분을 이용하여 승준이가 낸 돈은 얼마인지 구하려고 합니다. 풀이 과정을 쓰고, 답을 구하세요. (8점)

1단계 알고 있는 것 (1점)

선물의 가격 : ☐ 원

승준이와 예지가 낸 돈의 비 : ☐ : ☐

2단계 구하려는 것 (1점)

☐ 이가 낸 돈을 구하려고 합니다.

3단계 문제 해결 방법 (2점)

전체를 주어진 비로 ☐ 합니다.

4단계 문제 풀이 과정 (3점)

할아버지 생신 선물은 20000원이고 승준이가 낸 돈은 전체의 ☐ 이고 예지가 낸 돈은 전체의 ☐ 이므로

(승준이가 낸 돈) = 20000 × ☐ = ☐ (원)입니다.

5단계 구하려는 답 (1점)

따라서 승준이가 낸 돈은 ☐ 원입니다.

STEP 2 따라 풀어보기

초콜릿 200개를 각 모둠의 학생 수의 비로 두 모둠에 나누어주려고 합니다. 비례배분을 이용하여 두 모둠에 초콜릿을 각각 몇 개씩 나누어주어야 하는지 풀이 과정을 쓰고, 답을 구하세요. (9점)

모둠	㉮	㉯
학생 수(명)	24	26

1단계 알고 있는 것 (1점)
초콜릿의 수 : [ ]개
㉮ 모둠 학생 수 : [ ]명 ㉯ 모둠 학생 수 : [ ]명

2단계 구하려는 것 (1점)
두 모둠에 [ ]을 각각 몇 개씩 [ ]주어야 하는지 구하려고 합니다.

3단계 문제 해결 방법 (2점)
전체를 학생 수의 비로 [ ]합니다.

4단계 문제 풀이 과정 (3점)
두 모둠의 학생 수의 비를 가장 간단한 [ ]의 비로 나타내면 [ ] : [ ]입니다. ㉮ 모둠 학생 수는 전체의 [ ]이고, ㉯ 모둠 학생 수는 전체의 [ ]이므로

(㉮ 모둠에 나누어줄 초콜릿의 수) = 200 × [ ] = [ ](개)

(㉯ 모둠에 나누어줄 초콜릿의 수) = 200 × [ ] = [ ](개)

5단계 구하려는 답 (2점)

123 이것만 알면 문제해결 OK!

비례배분 : 전체를 주어진 비로 배분하는 것

☆ 전체를 ●:▲로 배분하기

- (전체)×$\frac{●}{●+▲}$
- (전체)×$\frac{▲}{●+▲}$

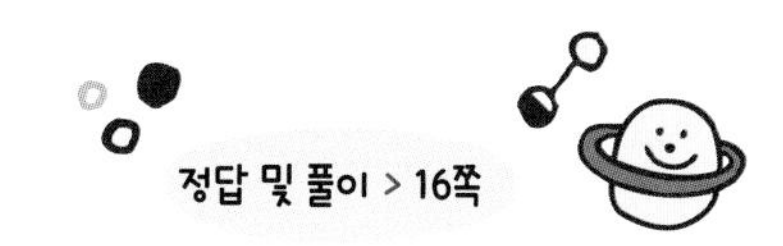

1. 240개의 귤이 있습니다. 이 귤의 $\frac{3}{8}$을 바구니에 담아 놓고 진우네 모둠과 서윤이네 모둠이 3 : 2로 나누어 가지려고 합니다. 비례배분을 이용하여 서윤이네 모둠이 가져야 할 귤의 수를 구하는 풀이 과정을 쓰고, 답을 구하세요. (10점)

두 모둠이 나누어 가질 귤의 수는 $240-240\times\square=240-\square=\square$(개)입니다.

서윤이네 모둠이 나누어 가질 귤의 수는 전체의 $\square$이므로

(서윤이네 모둠이 나누어 가질 귤의 수)$=150\times\square=\square$(개)입니다.

2. 청소를 잘하면 칭찬 붙임딱지를 한 개씩 받습니다. 서진이와 민우가 $\frac{1}{4}:\frac{1}{7}$의 비로 칭찬 붙임딱지를 모두 220개 모았습니다. 비례배분을 이용하여 서진이가 모은 칭찬 붙임딱지는 모두 몇 개인지 구하는 풀이 과정을 쓰고, 답을 구하세요. (15점)

답

스스로 문제를 풀어보며 실력을 높여보세요.

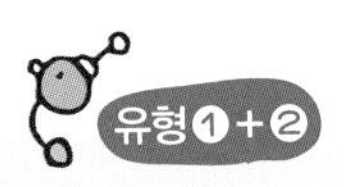

서로 맞물려 돌아가는 두 톱니바퀴 ㉮와 ㉯가 있습니다. ㉮의 톱니 수는 27개이고 ㉯의 톱니 수는 18개입니다. 비례식의 성질을 이용하여 톱니바퀴 ㉯가 24바퀴 도는 동안 톱니바퀴 ㉮는 몇 바퀴 도는지 풀이 과정을 쓰고, 답을 구하세요. (20점)

답

상자 안에 탁구공이 140개 있습니다. 이 탁구공을 1반과 2반이 $4\frac{1}{5}$: 5.6으로 나누어 탁구 연습을 하려고 합니다. 2반이 연습에 사용할 탁구공은 몇 개인지 풀이 과정을 쓰고, 답을 구하세요. (20점)

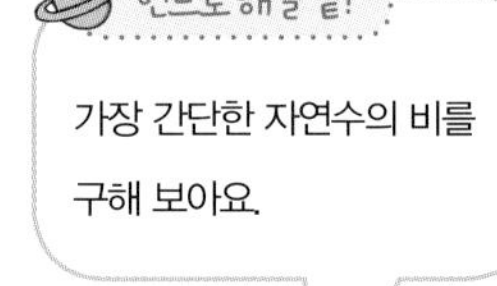

답

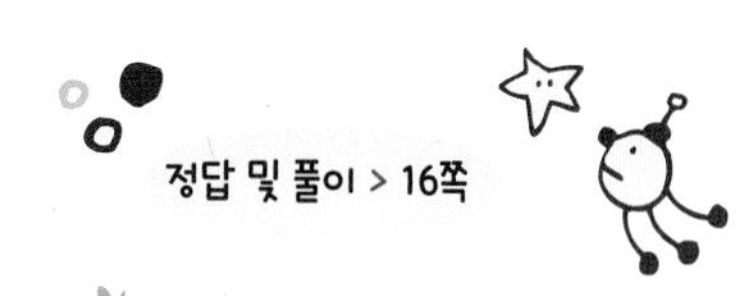

3

생활수학

힌트로 해결 끝!
할머니 댁까지 가는 데
걸리는 시간 : □분

영민이는 자동차로 15분 동안 20 km를 가는 빠르기로 196 km 떨어진 할머니 댁에 가려고 합니다. 할머니 댁까지 가려면 몇 시간 몇 분이 걸리는지 풀이 과정을 쓰고, 답을 구하세요. (20점)

풀이

답

4

생활수학

힌트로 해결 끝!
전체 이익금 : □원

정윤이와 진석이는 각각 49만 원, 70만 원을 투자하여 이익금을 받았습니다. 두 사람이 투자한 금액의 비로 이익금을 나누어 가졌더니 진석이가 30만 원을 받았습니다. 전체 이익금은 얼마인지 풀이 과정을 쓰고, 답을 구하세요. (20점)

풀이

투자한 금액의 비를 가장 간단한 자연수의 비로 나타내어 보아요.

비례배분하기

답

거꾸로 풀며 나만의 문제를 완성해 보세요.

정답 및 풀이 > 17쪽

다음은 주어진 넓이와 들이, 낱말, 조건을 활용해서 만든 문제를 보고 풀이 과정과 답을 구한 것입니다. 어떤 문제였을까요? 거꾸로 문제 만들기, 도전해 볼까요? (25점)

넓이와 들이 3 m^2, 0.9 L, 18 m^2

낱말 벽, 페인트

조건 비례식의 성질로 풀 수 있는 문제 만들기

★ 힌트 ★
벽을 칠하는 데 필요한 페인트의 양을 구하는 질문을 만들어요.

문제

풀이

3 m^2의 벽을 칠하는 데 0.9 L의 페인트가 필요하므로 18 m^2의 벽을 칠하는 데 필요한 페인트를 □ L라 하고 비례식을 세우면 3 : 0.9 = 18 : □입니다.

3 × □ = 0.9 × 18, 3 × □ = 16.2, □ = 5.4

따라서 18 m^2의 벽을 칠하는 데 5.4 L의 페인트가 필요합니다.

답 5.4 L

5. 원의 넓이

유형1 원주와 지름 구하기

유형2 원의 넓이 어림하기

유형3 원의 넓이 구하기

유형4 여러 가지 원의 넓이

원주와 지름 구하기

STEP 1 대표 문제 맛보기

길이가 53.38 cm인 색 테이프를 겹치지 않게 이어 붙여 원을 만들었습니다. 만든 원의 지름은 몇 cm인지 풀이 과정을 쓰고, 답을 구하세요. (원주율 3.14) (8점)

1단계 알고 있는 것 (1점)

색 테이프의 길이 : ☐ cm

원주율 : ☐

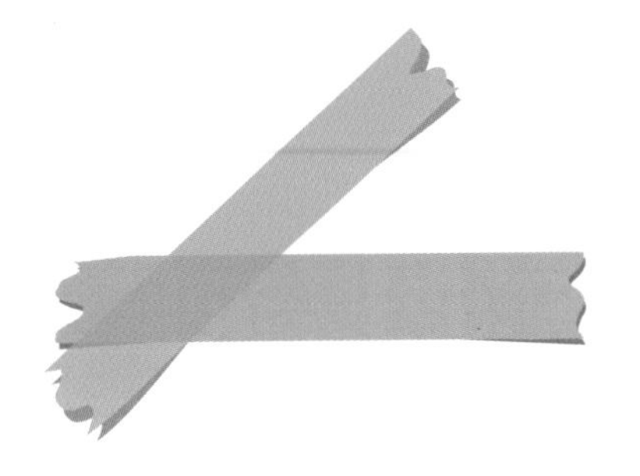

2단계 구하려는 것 (1점)

색 테이프로 만들어진 원의 ☐ 은 몇 cm인지 구하려고 합니다.

3단계 문제 해결 방법 (2점)

(원의 지름) = ☐ ÷ ☐ 입니다.

4단계 문제 풀이 과정 (3점)

☐ 은(는) 색 테이프의 길이와 같으므로

(원주가 53.38 cm인 원의 지름) = ☐ ÷ ☐

= ☐ (cm)

5단계 구하려는 답 (1점)

따라서 색 테이프로 만든 원의 지름은 ☐ cm입니다.

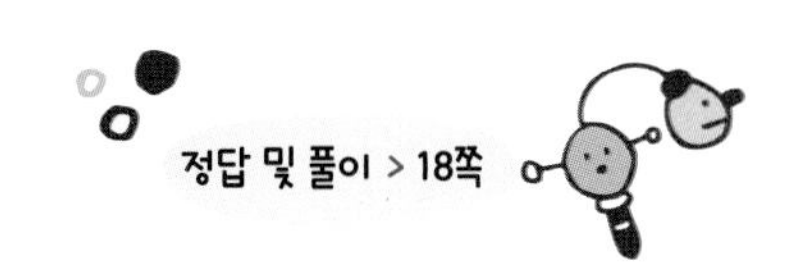

STEP 2 따라 풀어보기

지름이 60 cm인 톱니바퀴 자를 사용하여 공원의 둘레를 알아보려고 합니다. 공원의 둘레를 따라 톱니바퀴 자가 200바퀴 돌았다면 공원의 둘레는 몇 m인지 풀이 과정을 쓰고, 답을 구하세요. (원주율 3.1) (9점)

1단계 알고 있는 것 (1점)

톱니바퀴 자의 지름 : ☐ cm

톱니바퀴 자가 굴러 간 횟수 : ☐ 바퀴

2단계 구하려는 것 (1점)

톱니바퀴 자로 잰 공원의 ☐ 는 몇 m인지 구하려고 합니다.

3단계 문제 해결 방법 (2점)

지름이 60 cm인 톱니바퀴 자가 ☐ 바퀴 돈 거리는 지름이 ☐ cm인 원의 원주와 같습니다.

4단계 문제 풀이 과정 (3점)

(톱니바퀴 자가 한 바퀴 돈 거리) = (지름) × (☐)

= 60 × ☐ = ☐ (cm)이고,

(톱니바퀴 자가 200바퀴 돈 거리) = (한 바퀴 돈 거리) × ☐

= ☐ × ☐ = ☐ (cm)입니다.

100 cm=1 m이므로 ☐ cm는 ☐ m입니다.

5단계 구하려는 답 (2점)

---

123 이것만 알면 문제 해결 OK!

원주율, 원주, 지름의 관계

- (원주율)=(원주)÷(지름)
- (원주)=(지름)×(원주율)
- (지름)=(원주)÷(원주율)

1. 지름이 80 cm인 굴렁쇠를 몇 바퀴 굴렸더니 1240 cm만큼 앞으로 굴러갔습니다. 굴렁쇠를 몇 바퀴 굴린 것인지 풀이 과정을 쓰고, 답을 구하세요. (원주율 : 3.1) (10점)

풀이

(원주)=(지름)×(원주율)이므로 굴렁쇠의 원주는

☐ × ☐ = ☐ (cm)이고 몇 바퀴를 굴린 것인지 알아보려면 굴러간

☐ 를 굴렁쇠의 ☐ 로 나누면 됩니다.

☐ ÷ ☐ = ☐ 이므로 굴렁쇠를 ☐ 바퀴 굴린 것입니다.

답 ____________

2. 지름이 100 cm인 타이어를 2480 cm 떨어진 곳까지 굴려서 옮기려고 합니다. 타이어를 몇 바퀴 굴려야 하는지 풀이 과정을 쓰고, 답을 구하세요. (원주율 : 3.1) (15점)

풀이

답 ____________

원의 넓이 어림하기

정답 및 풀이 > 18쪽

STEP 1 대표 문제 맛보기

원의 지름이 8 cm이고 원 안에 있는 정사각형의 넓이와 원 밖의 정사각형의 넓이를 구하여 원의 넓이를 어림하려고 합니다. □ 안에 들어갈 수들의 합을 구하는 풀이 과정을 쓰고, 답을 구하세요. (8점)

□ cm^2 < (원의 넓이) < □ cm^2

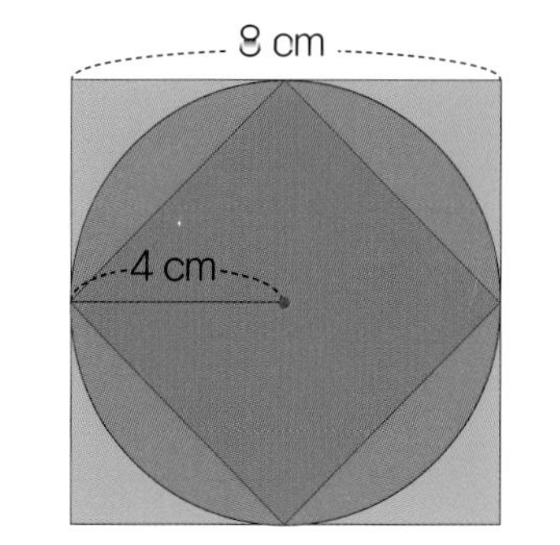

1단계 알고 있는 것 (1점)
원 밖의 정사각형의 한 변의 길이 : □ cm
원의 반지름 : □ cm

2단계 구하려는 것 (1점)
□ 안에 들어갈 수들의 (합 , 차)을(를) 구하려고 합니다.

3단계 문제 해결 방법 (2점)
(원 □ 의 정사각형의 넓이) < (원의 넓이) < (원 □ 의 정사각형의 넓이)

4단계 문제 풀이 과정 (3점)
원 안의 정사각형의 넓이는 두 대각선의 길이가 □ cm인 □ 의 넓이와 같습니다.
(원 안의 정사각형의 넓이) = □ × □ ÷ □ = □ (cm^2)이고
(원 밖에 있는 정사각형의 넓이) = □ × □ = □ (cm^2)이므로
□ cm^2 < (원의 넓이) < □ cm^2입니다.
→ 32 + □ = □ 입니다.

5단계 구하려는 답 (1점)
따라서 □ 안에 들어갈 수들의 합은 □ 입니다.

STEP 2 따라 풀어보기

원 안에 있는 정육각형의 넓이와 원 밖의 정육각형의 넓이를 이용하여 원의 넓이를 어림하려고 합니다. □ 안에 들어가야 할 수들의 차를 구하는 풀이 과정을 쓰고, 답을 구하세요. (9점)

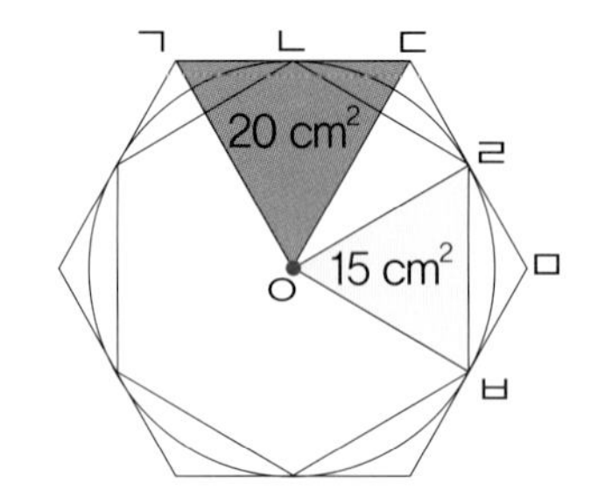

□ cm² < (원의 넓이) < □ cm²

1단계 알고 있는 것 (1점)

삼각형 ㄱㅇㄷ의 넓이 : □ cm²

삼각형 ㄹㅇㅂ의 넓이 : □ cm²

2단계 구하려는 것 (1점)

□ 안에 들어갈 수들의 (합 , 차)을(를) 구하려고 합니다.

3단계 문제 해결 방법 (2점)

원 안의 정육각형과 원 밖의 정육각형은 정삼각형 □ 개가 모여 만들어진 것이므로 정육각형의 넓이는 정삼각형의 넓이에 □ 을 (곱합니다 , 나눕니다).

4단계 문제 풀이 과정 (3점)

(원 안의 정육각형의 넓이) = 15 × □ = □ (cm²)이고

(원 밖의 정육각형의 넓이) = 20 × □ = □ (cm²)이므로

□ cm² < (원의 넓이) < □ cm²입니다.

→ 120 − □ = □ 입니다.

5단계 구하려는 답 (2점)

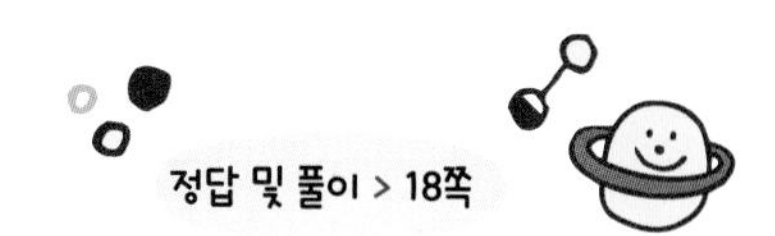

STEP 3 스스로 풀어보기

1. 반지름이 5 cm인 원의 넓이를 어림하려고 합니다. □ 안에 들어가야 할 수들의 곱을 구하는 풀이 과정을 쓰고, 답을 구하세요. (10점)

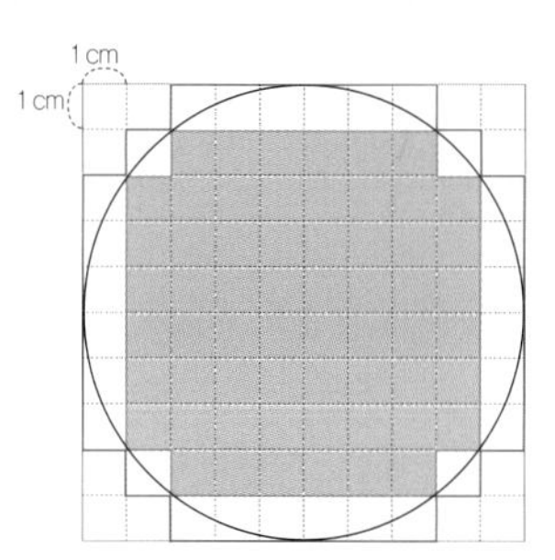

□ cm^2 < (원의 넓이) < □ cm^2

풀이

파란색 모눈의 칸의 수는 □ 칸이고, 빨간색 선 안쪽 모눈의 칸의 수는 □ 칸입니다.

(모눈 한 칸의 넓이) = 1 cm^2이므로 (파란색 모눈의 넓이) = □ cm^2이고

(빨간색 선 안쪽의 모눈의 넓이) = □ cm^2입니다. □ cm^2 < (원의 넓이) < □ cm^2

이므로 □ 안에 들어갈 수들의 곱은 □ × □ = □ 입니다.

답 ______________________

2. 반지름이 3.5 cm인 원의 넓이를 어림하려고 합니다. □ 안에 들어가야 할 수들의 곱을 구하는 풀이 과정을 쓰고, 답을 구하세요. (15점)

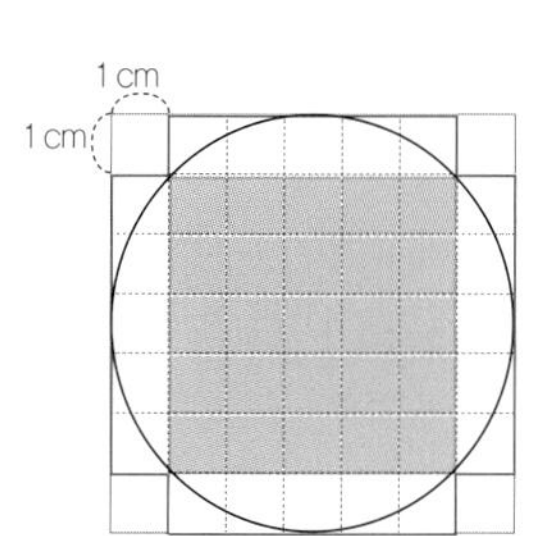

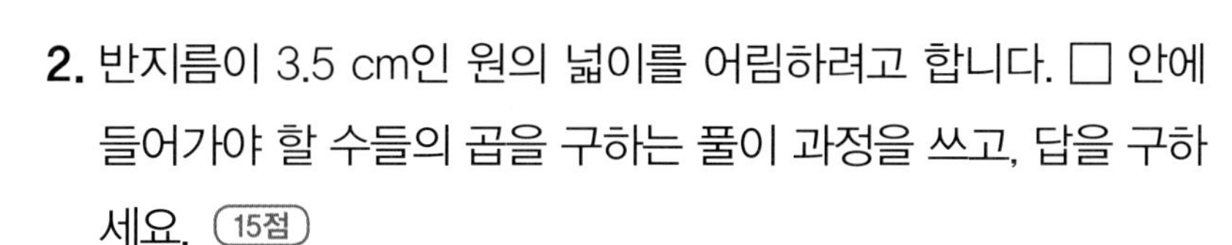

답 ______________________

원의 넓이 구하기

STEP 1 대표 문제 맛보기

다음과 같은 직사각형에 안에 그릴 수 있는 가장 큰 원의 넓이는 몇 cm^2인지 구하는 풀이 과정을 쓰고, 답을 구하세요. (원주율 3.14) (8점)

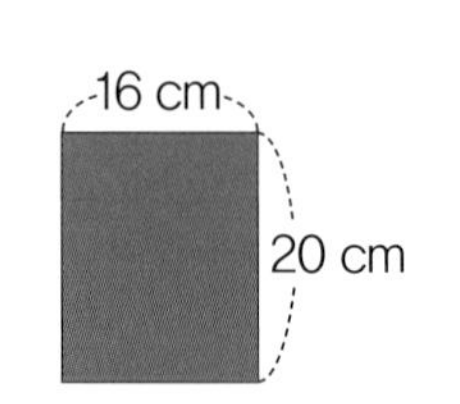

1단계 알고 있는 것 (1점)
가로가 □ cm, 세로가 □ cm인 직사각형

2단계 구하려는 것 (1점)
□ 안에 그릴 수 있는 가장 큰 원의 넓이는 몇 cm^2인지 구하려고 합니다.

3단계 문제 해결 방법 (2점)
(원의 넓이) = (반지름) × (반지름) × (□)

4단계 문제 풀이 과정 (3점)
직사각형 안에 그릴 수 있는 가장 큰 원의 지름은 직사각형의 (가로 , 세로) 와 같습니다.

(원의 반지름) = (원의 지름) ÷ 2

= (직사각형의 □) ÷ 2 = □ ÷ 2 = □ (cm)

(원의 넓이) = (반지름) × (반지름) × (□)

= □ × □ × 3.14 = □ (cm^2)

5단계 구하려는 답 (1점)
따라서 직사각형 안에 그릴 수 있는 가장 큰 원의 넓이는 □ cm^2입니다.

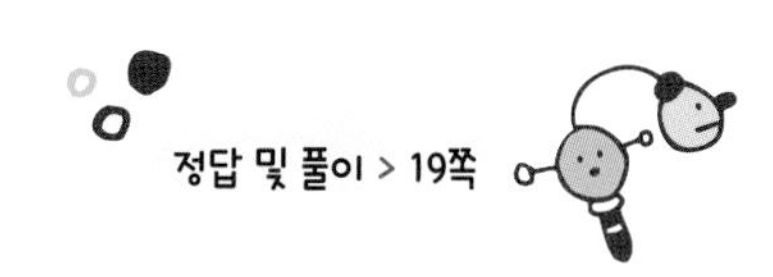

STEP 2 따라 풀어보기

한 변의 길이가 36 cm인 정사각형 안에 그릴 수 있는 가장 큰 원의 넓이는 몇 cm^2인지 풀이 과정을 쓰고, 답을 구하세요.
(원주율 3.1) (9점)

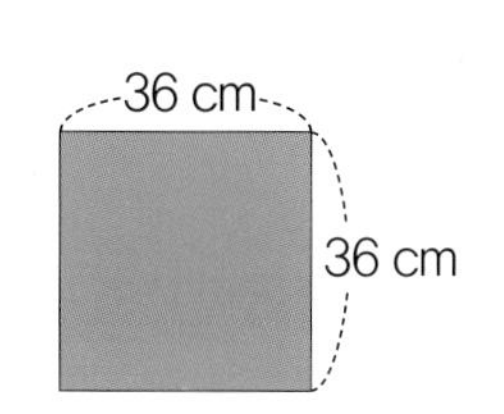

1단계 알고 있는 것 (1점)

정사각형의 한 변의 길이 : ☐ cm

2단계 구하려는 것 (1점)

☐ 안에 그릴 수 있는 가장 큰 ☐의 넓이는 몇 cm^2인지 구하려고 합니다.

3단계 문제 해결 방법 (2점)

(원의 넓이) = (반지름) × (☐) × (원주율)

4단계 문제 풀이 과정 (3점)

정사각형 안에 그릴 수 있는 가장 큰 원의 ☐은 정사각형의 한 변의 길이와 같으므로 ☐ cm입니다.

(원의 반지름) = (원의 지름) ÷ 2

= (정사각형의 한 변의 길이) ÷ 2 = ☐ ÷ 2 = ☐ (cm)

(원의 넓이) = (반지름) × (반지름) × (☐)

= ☐ × ☐ × 3.1 = ☐ (cm^2)

5단계 구하려는 답 (2점)

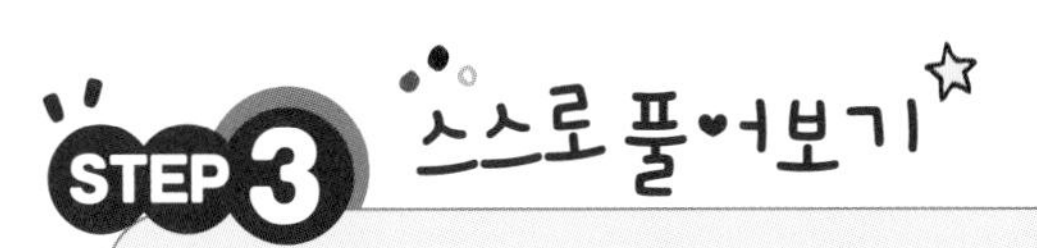

1. 원주가 43.4 cm인 원 ㉮와 74.4 cm인 원 ㉯가 있습니다. 두 원의 넓이의 차는 몇 cm^2인지 구하세요. (원주율 : 3.1) (10점)

풀이

(원 ㉮의 반지름) = 43.4 ÷ ☐ ÷ 2 = ☐ (cm)이고

(원 ㉯의 반지름) = 74.4 ÷ ☐ ÷ 2 = ☐ (cm)입니다.

(원 ㉮의 넓이) = ☐ × ☐ × 3.1 = ☐ (cm^2),

(원 ㉯의 넓이) = ☐ × ☐ × 3.1 = ☐ (cm^2)입니다.

따라서 원 ㉮와 ㉯ 두 원의 넓이의 차는

☐ − ☐ = ☐ (cm^2)입니다.

답 ______________________

2. 원주가 12.56 cm인 원 ㉮와 25.12 cm인 원 ㉯가 있습니다. 두 원의 넓이의 차는 몇 cm^2인지 구하세요. (원주율 3.14) (15점)

풀이

답 ______________________

여러 가지 원의 넓이

정답 및 풀이 > 20쪽

STEP 1 대표 문제 맛보기

정사각형의 색종이 안에 가장 큰 원을 그려 오려내었습니다. 색종이의 남은 부분의 넓이는 몇 cm^2인지 풀이 과정을 쓰고, 답을 구하세요. (원주율 3.1) (8점)

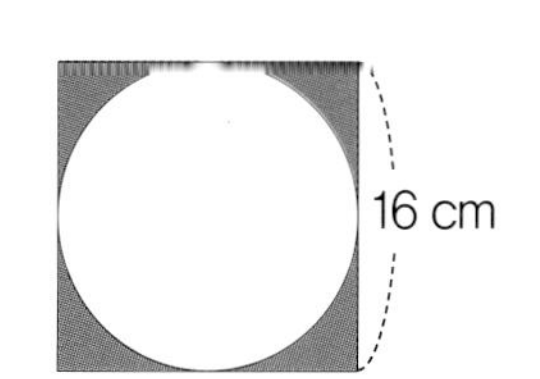

1단계 알고 있는 것 (1점) 정사각형 색종이의 한 변의 길이 : □ cm

2단계 구하려는 것 (1점) 색종이의 남은 부분의 □ 는 몇 cm^2인지 구하려고 합니다.

3단계 문제 해결 방법 (2점) □ 의 넓이에서 □ 의 넓이를 (더합니다 , 뺍니다).

4단계 문제 풀이 과정 (3점) (남은 색종이의 넓이) = (정사각형의 넓이)−(원의 넓이)

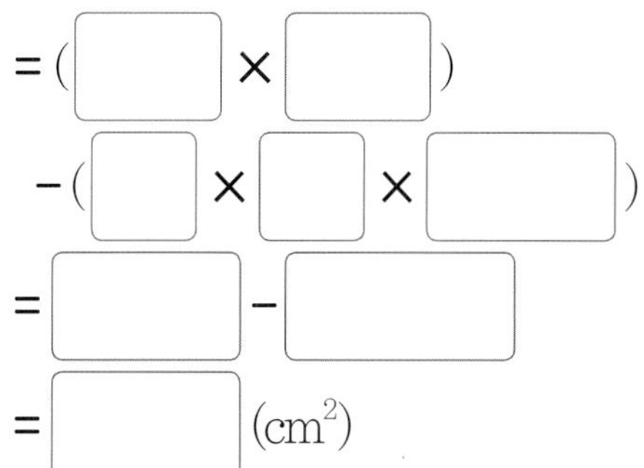

= (□ × □)

− (□ × □ × □)

= □ − □

= □ (cm^2)

5단계 구하려는 답 (1점) 따라서 색종이의 남은 부분의 넓이는 □ cm^2입니다.

STEP 2 따라 풀어보기

지름이 24 cm인 원 안에 반지름이 5 cm인 원 모양으로 구멍을 뚫은 도형이 있습니다. 이 도형의 넓이는 몇 cm^2인지 풀이 과정을 쓰고, 답을 구하세요. (원주율 : 3.1) 9점

1단계 알고 있는 것 (1점)

지름이 ☐ cm인 원 안에 반지름이 ☐ cm인 원 모양으로 구멍을 뚫은 도형

2단계 구하려는 것 (1점)

원 안에 원 모양으로 구멍을 뚫은 도형의 ☐ 는 몇 cm^2인지 구하려고 합니다.

3단계 문제 해결 방법 (2점)

(도형의 넓이) = (큰 ☐ 의 넓이) − (작은 ☐ 의 넓이)

4단계 문제 풀이 과정 (3점)

(도형의 넓이) = (지름이 24 cm인 원의 넓이) − (반지름인 5 cm인 원의 넓이)

= ☐ × ☐ × 3.1 − ☐ × ☐ × 3.1

= ☐ − ☐ = ☐ (cm^2)

5단계 구하려는 답 (2점)

123 이것만 알면 문제 해결 OK!

색칠한 부분의 둘레와 넓이 알아보기

☆ 색칠한 부분의 둘레 : 큰 원의 둘레와 작은 원의 둘레를 더합니다.

☆ 색칠한 부분의 넓이 : 큰 원의 넓이에서 작은 원의 넓이를 뺍니다.

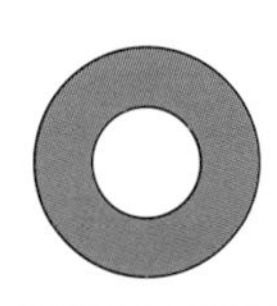

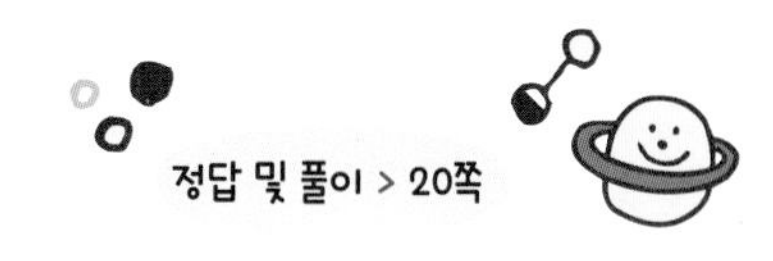

STEP 3 스스로 풀어보기

1. 색칠한 부분의 넓이를 구하려고 합니다. 풀이 과정을 쓰고, 답을 구하세요. (원주율 : 3.14) (10점)

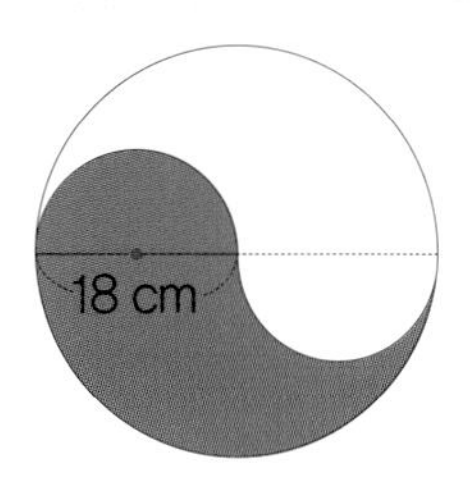

풀이

색칠된 부분의 위쪽에 있는 지름이 □ cm인 반원을 색칠되지 않은 부분으로 옮기면

색칠한 부분은 반지름이 18 cm인 □ 과 같습니다.

(색칠한 부분의 넓이) = □ × □ × □ ÷ 2 = □ (cm^2)입니다.

따라서 색칠한 부분의 넓이는 □ cm^2입니다.

2. 색칠한 부분의 넓이를 구하려고 합니다. 풀이 과정을 쓰고, 답을 구하세요. (원주율 : 3.14) (15점)

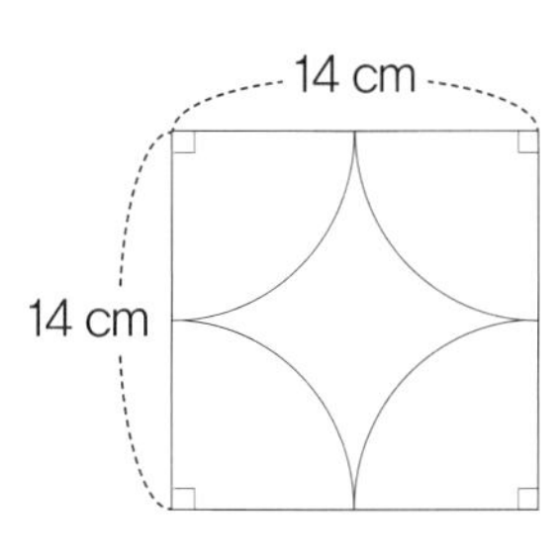

풀이

답

1

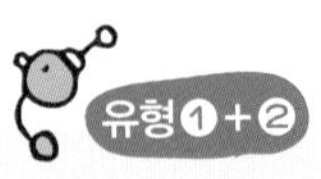

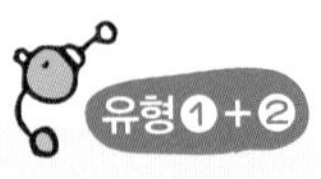

미술 시간에 색도화지를 오려서 과녁을 만들었습니다. 과녁을 보고 노란색 부분의 넓이와 초록색 부분의 넓이의 차를 구하려고 합니다. 풀이 과정을 쓰고, 답을 구하세요. (원주율 3.14) (20점)

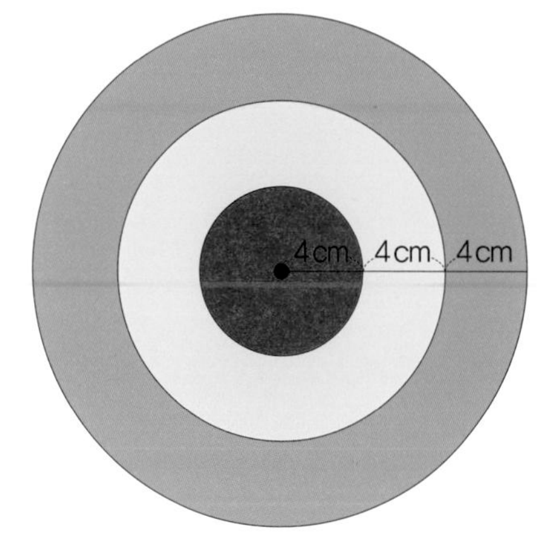

힌트로 해결 끝!

(노란색 부분의 넓이)
=(반지름이 8 cm인 원의 넓이)−(반지름이 4 cm인 원의 넓이)

(초록색 부분의 넓이)
=(반지름이 12 cm인 원의 넓이)−(반지름이 8 cm인 원의 넓이)

풀이

답

2

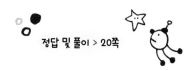

다음 그림은 한 변의 길이가 8 cm인 정사각형 안에 가장 큰 원을 그리고, 다시 원 안에 가장 큰 정사각형을 그린 것입니다. 색칠한 부분의 넓이는 몇 cm^2인지 풀이 과정을 쓰고, 답을 구하세요. (원주율 : 3.1) (15점)

힌트로 해결 끝!

정사각형 안에 원, 원 안에 정사각형이 있어요.

정사각형을 마름모라 할 수 있어요.

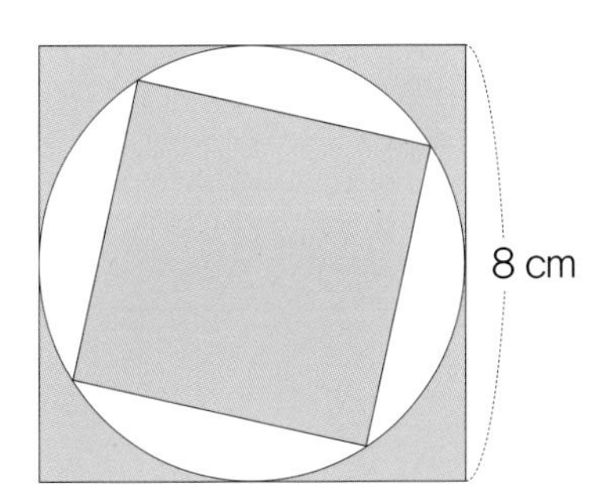

답

3

생활수학

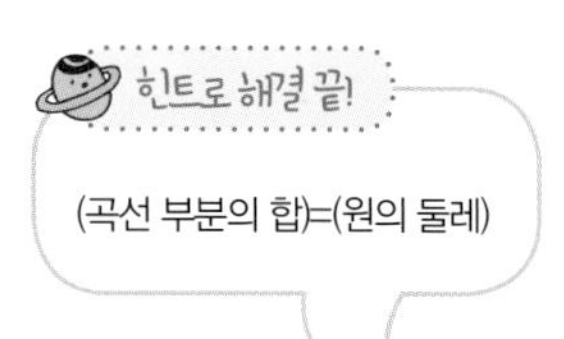

힌트로 해결 끝!
(곡선 부분의 합)=(원의 둘레)

마트에서 통조림 캔을 사려고 합니다. 각 캔 밑면의 넓이는 111.6 cm^2이고 4개씩 테이프로 묶어 팔고 있습니다. 테이프를 겹치지 않게 붙였다면 ㉮와 ㉯ 중 사용한 테이프의 길이가 더 짧은 것은 어느 것인지 풀이 과정을 쓰고, 답을 구하세요. (원주율 : 3.1) (20점)

㉮

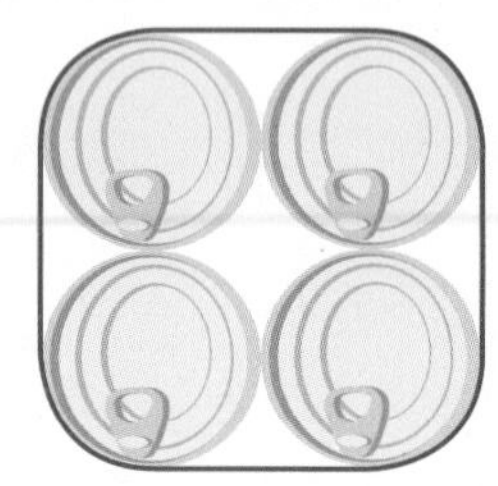

㉯

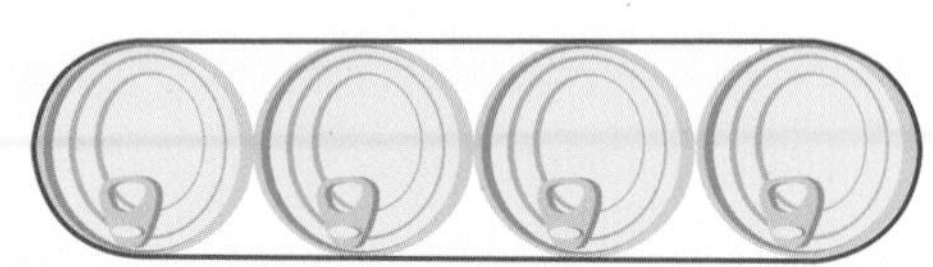

풀이

답

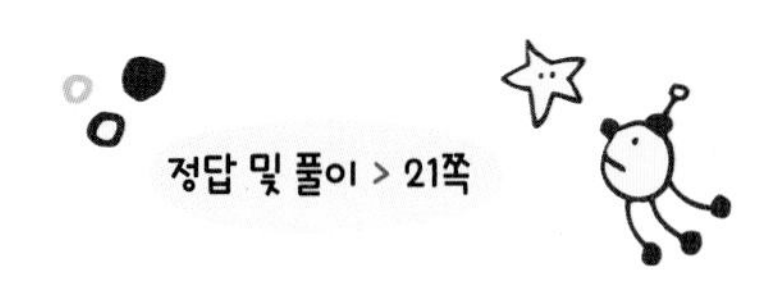
정답 및 풀이 > 21쪽

4

창의융합

힌트로 해결 끝!
청소기가 지나갈 수 없는
부분을 생각해요.

우리의 삶에 편안함을 주는 로봇 청소기는 주변의 공기가 청소기 안으로 빨려 들어오면서 먼지도 함께 들어오게 하는 원리로 청소를 합니다. 지름이 50 cm인 원 모양의 로봇 청소기로 한 변이 4 m인 정사각형 모양의 빈 방을 청소하려고 합니다. 이 로봇 청소기가 지나갈 수 없는 부분의 넓이는 몇 cm^2인지 풀이 과정을 쓰고, 답을 구하세요. (원주율 : 3) (20점)

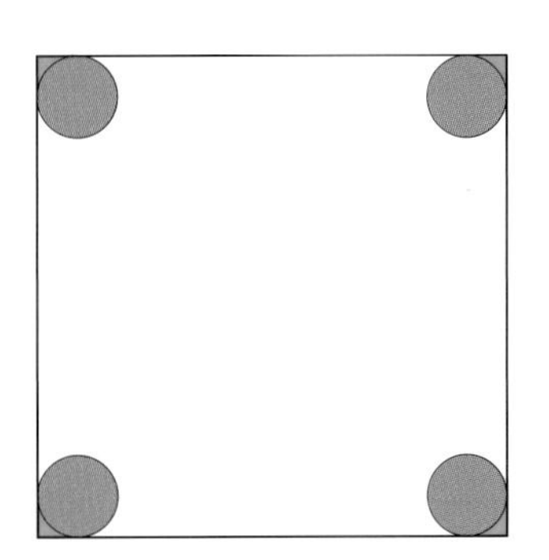

풀이

답

나만의 문제 만들기

거꾸로 풀며 나만의 문제를 완성해 보세요.

정답 및 풀이 > 21쪽

다음은 주어진 낱말과 조건, 구하려는 것을 활용해서 만든 문제를 보고 풀이 과정과 답을 구한 것입니다. 어떤 문제였을까요? 거꾸로 문제 만들기, 도전해 볼까요? (15점)

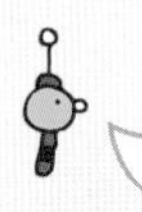

낱말 훌라후프

조건 지름 100 cm, 원주 266.9 cm, 원주율 3.14

구하려는 것 더 큰 훌라후프 찾기

★힌트★
더 큰 훌라후프는 누구의 것인지 구하는 질문을 만들어요.

문제

풀이

하진이의 훌라후프는 지름이 100 cm이고

서진이의 훌라후프의 원주는 266.9 cm이므로

(서진이의 훌라후프의 지름)=(원주)÷(원주율)=266.9÷3.14=85 (cm)입니다.

따라서 100>85이므로 하진이의 훌라후프가 더 큽니다.

답 하진

6. 원기둥, 원뿔, 구

유형1 원기둥

유형2 원기둥의 전개도

유형3 원뿔, 구

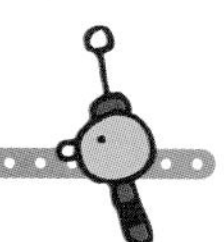

STEP 1 대표 문제 맛보기

준호와 친구들이 원기둥에 대해 이야기하고 있습니다. 원기둥에 대해 잘못 이야기한 사람은 누구인지 풀이 과정을 쓰고, 답을 구하세요. (8점)

준호 두 밑면이 서로 평행합니다.
연지 꼭짓점이 있습니다.
민우 두 밑면이 서로 합동입니다.
정연 옆을 둘러싼 면은 굽은 면입니다.

1단계 알고 있는 것 (1점)
준호 : 두 밑면이 서로 [ ] 합니다.
연지 : [ ] 이 있습니다.
민우 : 두 밑면이 서로 [ ] 입니다.
정연 : 옆을 둘러싼 면은 [ ] 면입니다.

2단계 구하려는 것 (1점)
[ ] 에 대해 [ ] 이야기한 사람은 누구인지 구하려고 합니다.

3단계 문제 해결 방법 (2점)
원기둥은 마주보는 두 면이 서로 [ ] 하고 [ ] 인 원으로 이루어진 입체도형입니다.

4단계 문제 풀이 과정 (3점)
원기둥은 마주보는 두 면이 서로 [ ] 하고 [ ] 인 [ ] 으로 이루어진 입체도형입니다. 두 밑면과 만나는 면은 옆면으로 [ ] 면이고 [ ] 은 없습니다.

5단계 구하려는 답 (1점)
따라서 잘못 이야기한 사람은 [ ] 입니다.

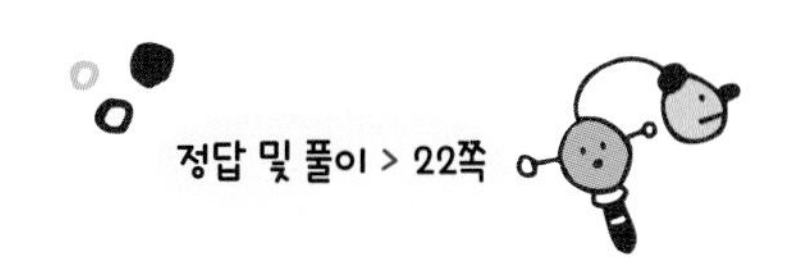

STEP 2 따라 풀어보기

○각기둥과 원기둥을 비교한 것입니다. ㉠+㉡을 구하는 풀이 과정을 쓰고, 답을 구하세요. (9점)

	○각기둥	원기둥
밑면의 수(개)	2	2
옆면의 수(개)	○	㉠
꼭짓점의 수(개)	○×2	0
모서리의 수(개)	○×3	0
면의 수(개)	○+2	㉡

1단계 알고 있는 것 (1점) ○각기둥과 [ ] 의 각 구성 요소의 개수를 비교한 표

2단계 구하려는 것 (1점) ㉠+ [ ] 을 구하려고 합니다.

3단계 문제 해결 방법 (2점) [ ] 의 구성 요소의 수를 구합니다.

4단계 문제 풀이 과정 (3점) 원기둥의 옆면은 굽은 면으로 [ ] 개이고, 면의 수는 밑면 [ ] 개와 옆면 [ ] 개를 더한 [ ] 이므로 ㉠= [ ], ㉡= [ ] 입니다.

→ ㉠+㉡= [ ] + [ ] = [ ]

5단계 구하려는 답 (2점)

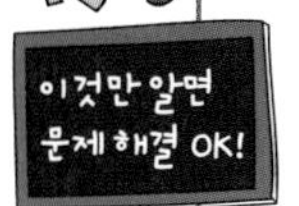

원기둥 알아보기

☆ 원기둥

- 마주보는 두 면이 서로 평행하고 합동인 원입니다.
- 옆을 둘러싼 면은 굽은 면입니다.
- 굴리면 잘 굴러갑니다.

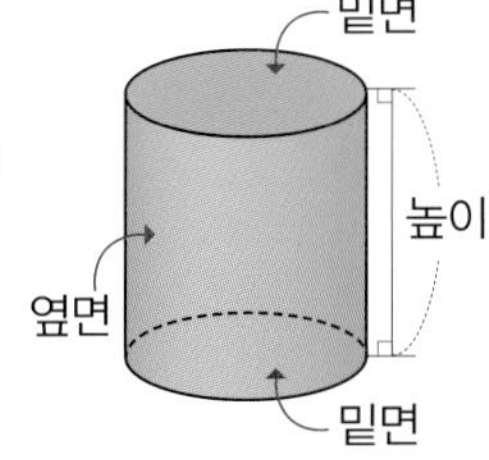

☆ 원기둥의 구성 요소

- 밑면: 서로 평행하고 합동인 두 면
- 옆면: 두 밑면과 만나는 면으로 굽은 면
- 높이: 두 밑면에 수직인 선분의 길이

STEP 3 스스로 풀어보기

유형❶

1. 원기둥을 앞에서 본 모양은 가로가 12 cm, 세로가 20 cm인 직사각형입니다. 원기둥의 밑면의 반지름과 높이는 몇 cm인지 풀이 과정을 쓰고, 답을 구하세요. (10점)

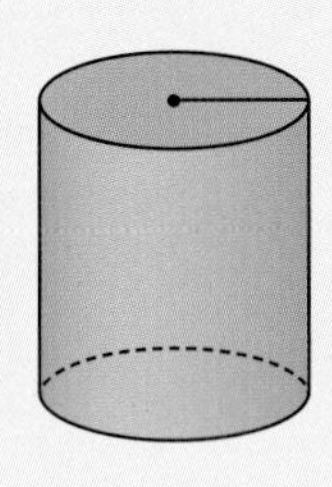

풀이

원기둥의 밑면의 [   ]은 앞에서 본 모양인 직사각형의 [   ]와 같으므로 [   ]cm이고, 밑면의 반지름은 [   ] ÷ 2 = [   ](cm)입니다.

원기둥의 [   ]는 앞에서 본 모양인 직사각형의 [   ]와 같으므로 [   ]cm입니다.

따라서 밑면의 반지름은 [   ]cm이고 높이는 [   ]cm입니다.

답 밑면의 반지름 : , 높이 :

2. 원기둥을 앞에서 본 모양은 가로가 18 cm, 세로가 10 cm인 직사각형입니다. 원기둥의 밑면의 반지름과 높이는 몇 cm인지 풀이 과정을 쓰고, 답을 구하세요. (15점)

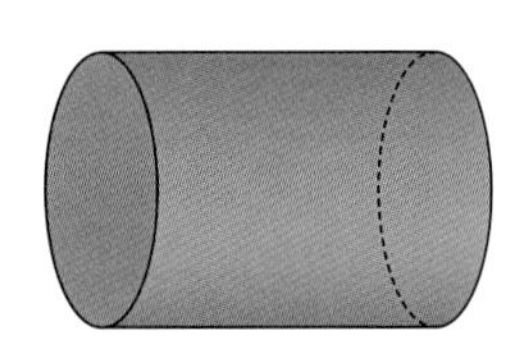

풀이

답 밑면의 반지름 : , 높이 :

원기둥의 전개도

정답 및 풀이 > 22쪽

STEP 1 대표 문제 맛보기

다음 원기둥의 전개도에서 직사각형의 가로와 세로는 몇 cm인지 풀이 과정을 쓰고, 답을 구하세요. (원주율 : 3.14) (8점)

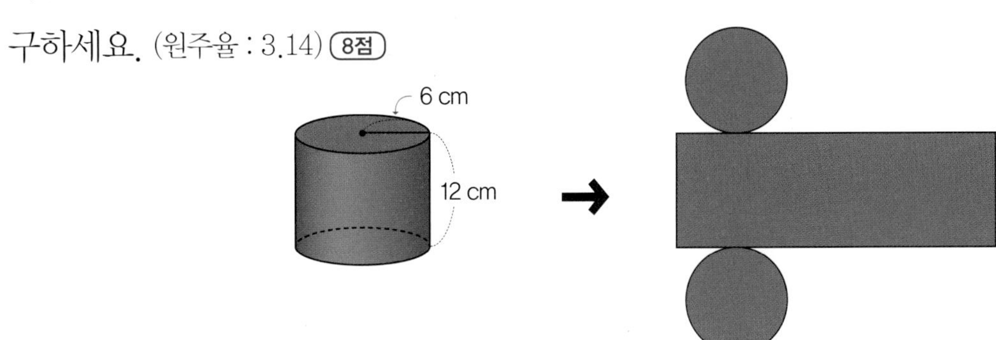

1단계 알고 있는 것 (1점) 한 밑면의 원의 반지름 : ☐ cm
원기둥의 높이 : ☐ cm

2단계 구하려는 것 (1점) 원기둥의 전개도에서 직사각형의 ☐ 와 세로를 구하려고 합니다.

3단계 문제 해결 방법 (2점) 원기둥의 전개도에서 (직사각형의 ☐) = (한 밑면의 둘레)
(직사각형의 ☐) = (원기둥의 ☐)입니다.

4단계 문제 풀이 과정 (3점) (직사각형의 가로) = (한 밑면의 둘레) = (지름) × (원주율)
= ☐ × ☐ = ☐ (cm)
(직사각형의 세로) = (원기둥의 높이) = ☐ cm

5단계 구하려는 답 (1점) 따라서 직사각형의 가로는 ☐ cm, 세로는 ☐ cm입니다.

STEP 2 따라 풀어보기

밑면의 반지름이 9 cm이고 높이가 10 cm인 원기둥이 있습니다. 이 원기둥의 전개도의 넓이는 몇 cm^2인지 풀이 과정을 쓰고, 답을 구하세요. (원주율 : 3) (9점)

1단계 알고 있는 것 (1점)
밑면의 반지름 : ☐ cm　　원기둥의 높이 : ☐ cm
원주율 : ☐

2단계 구하려는 것 (1점)
원기둥의 전개도의 ☐ 를 구하려고 합니다.

3단계 문제 해결 방법 (2점)
원기둥의 전개도의 넓이는 두 ☐ 의 넓이와 ☐ 의 넓이를 (더합니다 , 뺍니다).

4단계 문제 풀이 과정 (3점)
원기둥의 전개도에서
(옆면의 가로) = (한 밑면의 둘레) = ☐ × ☐ = ☐ (cm)이고
(옆면의 세로) = ☐ cm이므로
(원기둥의 전개도의 넓이) = (한 밑면의 넓이) × 2 + (옆면의 넓이)
= 9 × ☐ × ☐ × 2 + ☐ × 10
= ☐ + ☐ = ☐ (cm^2)

5단계 구하려는 답 (2점)

원기둥의 전개도 알아보기

- 옆면은 직사각형입니다.
- 두 밑면은 합동인 원입니다.
- (옆면의 가로)=(한 밑면의 둘레)
- (옆면의 세로)=(원기둥의 높이)

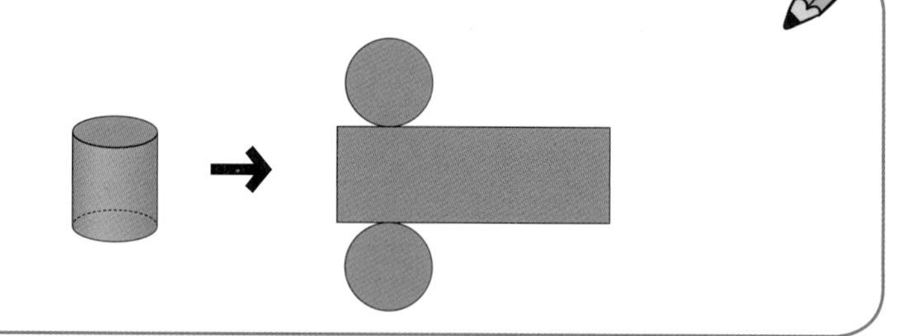

정답 및 풀이 > 23쪽

1. 원기둥의 옆면의 넓이가 347.2 cm^2일 때 원기둥의 높이는 몇 cm인지 풀이 과정을 쓰고, 답을 구하세요. (원주율 : 3.1) (10점)

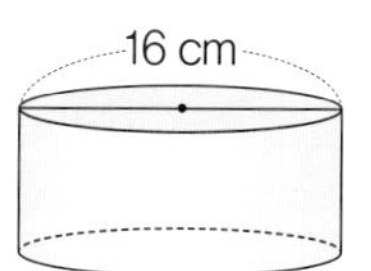

(옆면의 넓이)=(한 밑면의 둘레)×(높이)이고

원기둥의 높이를 □ cm라고 하면 □ = □ × 3.1 × □,

□ = □ × □, □ = □ ÷ □ = □ 입니다.

따라서 원기둥의 높이는 □ cm입니다.

답 ______

2. 원기둥의 옆면의 넓이가 434 cm^2일 때 원기둥의 높이는 몇 cm인지 풀이 과정을 쓰고, 답을 구하세요. (원주율 : 3.1) (15점)

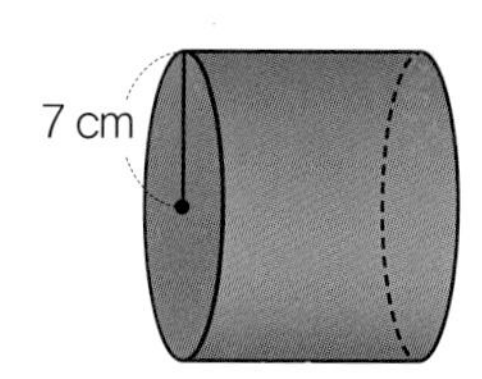

답 ______

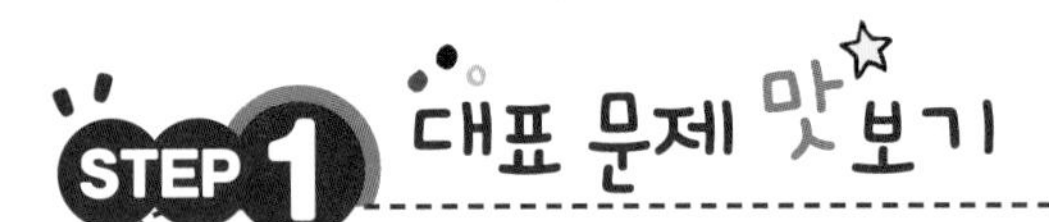

원기둥과 원뿔의 높이의 차는 몇 cm인지 풀이 과정을 쓰고, 답을 구하세요. (8점)

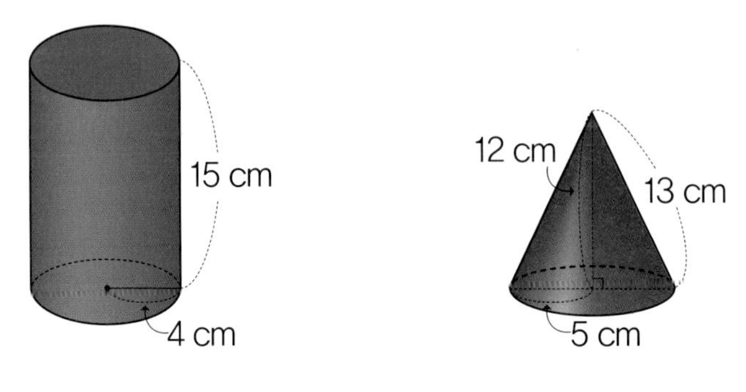

1단계 알고 있는 것 (1점)

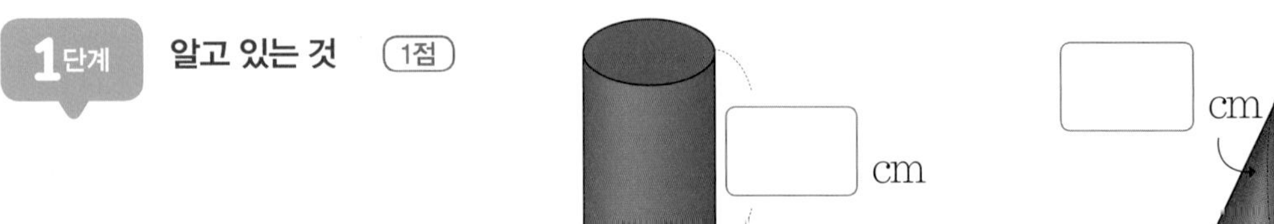

2단계 구하려는 것 (1점)

원기둥과 원뿔의 ☐ 의 차는 몇 cm인지 구하려고 합니다.

3단계 문제 해결 방법 (2점)

원기둥의 높이 : 두 밑면에 ☐ 인 선분의 길이

원뿔의 높이 : 원뿔의 꼭짓점에서 밑면에 ☐ 인 선분의 길이

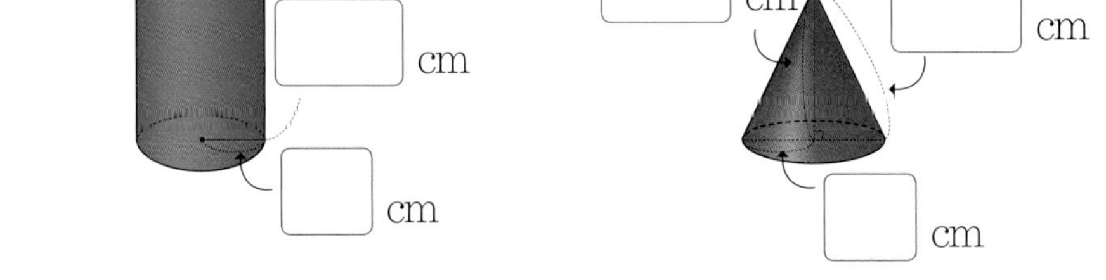

4단계 문제 풀이 과정 (3점)

원기둥의 높이는 ☐ cm이고 원뿔의 높이는 ☐ cm입니다.

그러므로 ☐ − ☐ = ☐ (cm)입니다.

5단계 구하려는 답 (1점)

따라서 원기둥과 원뿔의 높이의 차는 ☐ cm입니다.

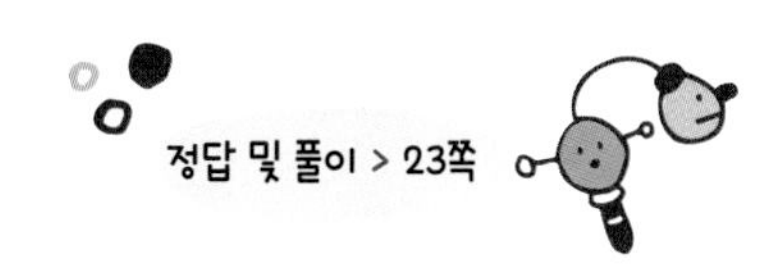

STEP 2 따라 풀어보기

가로가 3 cm, 세로가 8 cm인 직사각형을 세로를 기준으로 한 바퀴 돌려 만든 입체도형과 밑변의 길이가 5 cm이고 높이가 6 cm인 직각삼각형을 높이를 기준으로 한 바퀴 돌려 만든 입체도형이 있습니다. 두 입체도형의 높이의 차는 몇 cm인지 풀이 과정을 쓰고, 답을 구하세요. (9점)

1단계 알고 있는 것 (1점)

직사각형의 가로 : ☐ cm, 세로 : ☐ cm

직각삼각형의 밑변의 길이 : ☐ cm, 높이 : ☐ cm

2단계 구하려는 것 (1점)

두 입체도형의 ☐ 의 차는 몇 cm인지 구하려고 합니다.

3단계 문제 해결 방법 (2점)

직사각형의 세로를 기준으로 한 바퀴 돌린 입체도형 : ☐

직각삼각형의 높이를 기준으로 한 바퀴 돌린 입체도형 : ☐

4단계 문제 풀이 과정 (3점)

직사각형을 세로를 기준으로 한 바퀴 돌려 만든 입체도형은 ☐ 이고, 원기둥의 높이는 직사각형의 세로와 같으므로 ☐ cm입니다. 직각삼각형을 높이를 기준으로 한 바퀴 돌려 만든 입체도형은 ☐ 이고, 원뿔의 높이는 직각삼각형의 높이와 같으므로 ☐ cm 입니다.

그러므로 ☐ − ☐ = ☐ (cm)입니다.

5단계 구하려는 답 (2점)

STEP 3 스스로 풀어보기

유형❸

1. 반원 모양의 종이를 지름을 기준으로 한 바퀴 돌려서 만든 입체도형을 위에서 바라본 모양의 넓이는 몇 cm^2인지 풀이 과정을 쓰고, 답을 구하세요. (원주율 : 3.1) (10점)

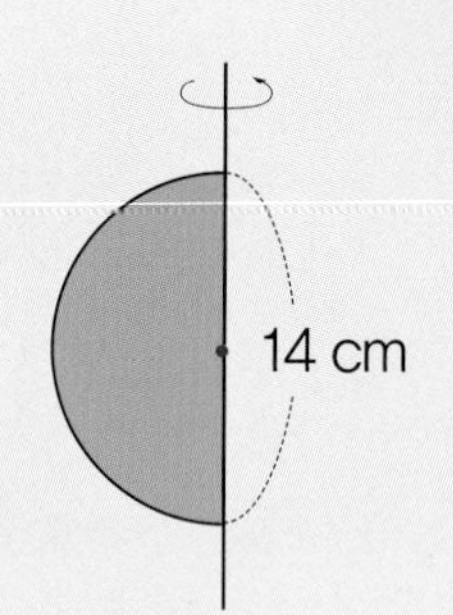

풀이

반원 모양의 종이를 지름을 기준으로 한 바퀴 돌리면 ☐ 가 만들어집니다.

☐ 를 위에서 바라본 모양은 ☐ 입니다.

☐ 의 지름은 구의 지름과 같으므로 반지름은 ☐ $\div 2 =$ ☐ (cm)입니다.

(원의 넓이) = ☐ × ☐ × ☐ = ☐ (cm^2)이므로

위에서 바라본 모양의 넓이는 ☐ cm^2입니다.

답 ____________

2. 반원 모양의 종이를 지름은 기준으로 한 바퀴 돌려서 만든 입체도형을 앞에서 바라본 모양의 둘레는 몇 cm인지 풀이 과정을 쓰고, 답을 구하세요. (원주율 : 3.1) (15점)

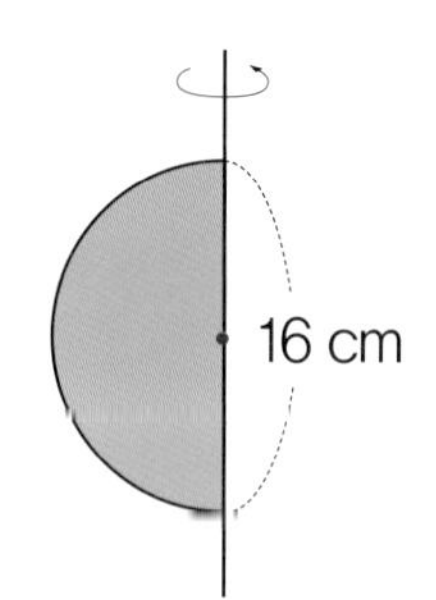

풀이

답 ____________

스스로 문제를 풀어보며 실력을 높여보세요.

정답 및 풀이 > 24쪽

힌트로 해결 끝!
전개도에서 (옆면의 가로)
=(밑면의 둘레)

과일 통조림 캔의 전개도를 그린 것입니다. 전개도에서 옆면의 둘레는 몇 cm인지 풀이 과정을 쓰고, 답을 구하세요. (원주율 : 3.14) (20점)

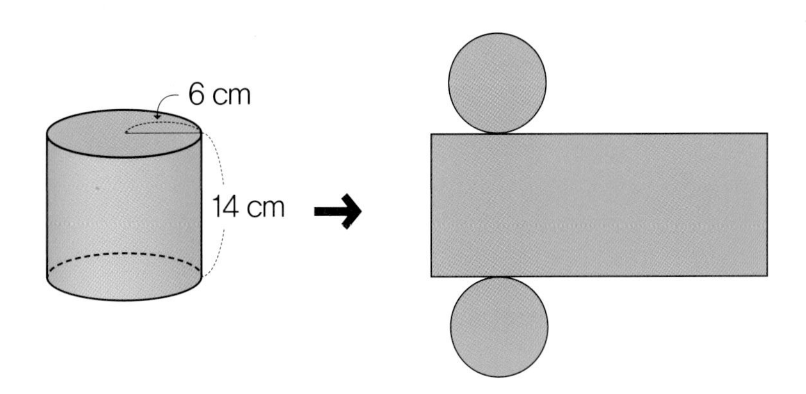

풀이

답

다음 중에서 모양이 다른 것을 찾아 기호를 쓰려고 합니다. 풀이 과정을 쓰고, 답을 구하세요. (20점)

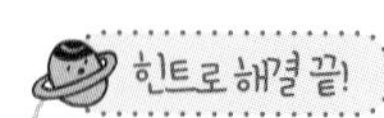

입체도형을 위, 앞, 옆에서 볼 때의 모양

	원기둥	원뿔	구
위	원	원	원
앞	직사각형	삼각형	원
옆	직사각형	삼각형	원

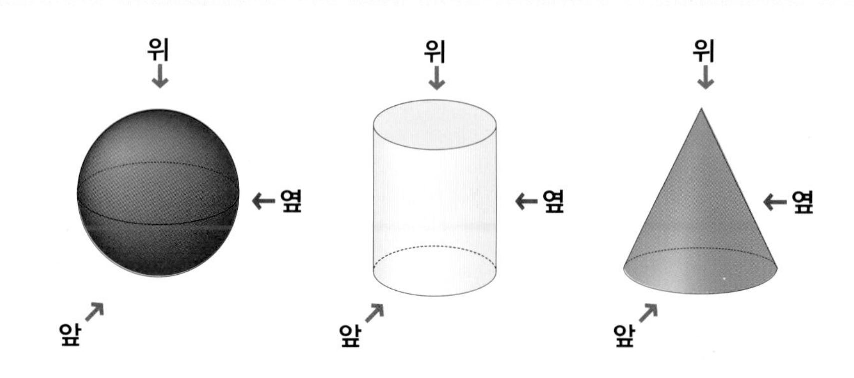

㉠ 원기둥의 밑면의 모양　㉡ 원뿔의 밑면의 모양
㉢ 원기둥을 앞에서 본 모양　㉣ 원뿔을 밑에서 본 모양
㉤ 구를 위에서 본 모양　㉥ 구를 앞에서 본 모양

답

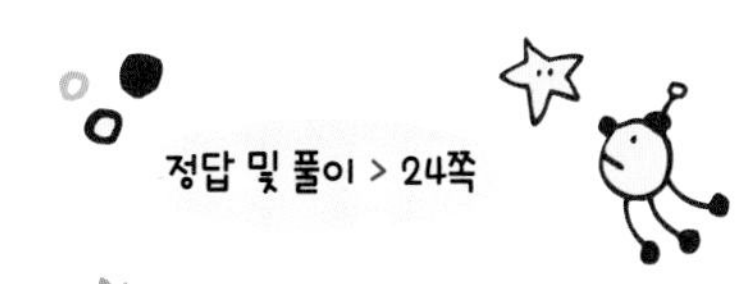
정답 및 풀이 > 24쪽

3

생활수학

다음 직사각형은 밑면의 넓이가 151.9 cm^2인 원기둥 모양의 과자 상자를 앞에서 본 모양입니다. 이 과자 상자의 겉넓이는 몇 cm^2인지 풀이 과정을 쓰고, 답을 구하세요. (원주율 : 3.1) (20점)

6 cm

한 밑면의 둘레 구하기

(옆면의 넓이)
=(한 밑면의 둘레)×(높이)

풀이

답

창의융합

학교 동아리 미술부에서는 재능기부로 복도 벽을 페인트로 칠하기로 하였습니다. 페인트 칠을 위해 준비한 원기둥 모양의 롤러의 밑면의 반지름은 5 cm이고 높이는 18 cm입니다. 페인트를 묻혀 롤러 7바퀴를 굴려 벽의 일부를 칠했다면 칠해진 부분의 넓이는 몇 cm^2인지 풀이 과정을 쓰고, 답을 구하세요. (원주율 : 3.1) (20점)

힌트로 해결 끝!
(롤러 1바퀴 굴려 칠해진 부분)
=(롤러의 옆면의 넓이)

답

거꾸로 풀며 나만의 문제를 완성해 보세요.

정답 및 풀이 > 24쪽

다음은 주어진 그림과 낱말, 조건, 구하려는 것을 활용해서 만든 문제를 보고 풀이 과정과 답을 구한 것입니다. 어떤 문제였을까요? 거꾸로 문제 만들기, 도전해 볼까요? (15점)

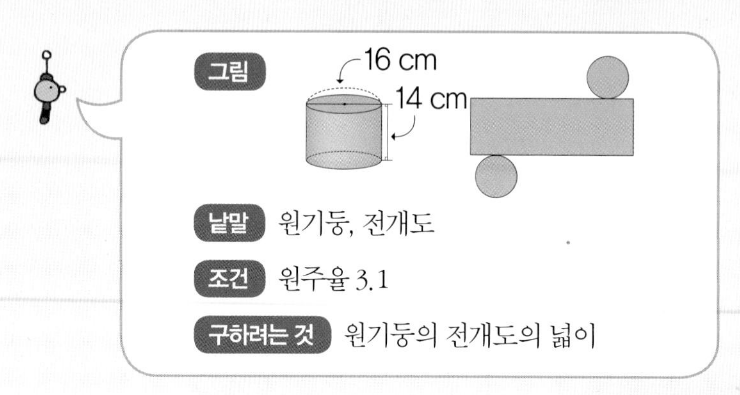

★힌트★
전개도의 넓이를 구하는 질문을 만들어요.

문제

풀이

(원기둥의 전개도의 넓이)

=(한 밑면의 넓이)×2+(옆면의 넓이)

=(원의 넓이)×2+(직사각형의 넓이)

$=(8\times8\times3.1)\times2+(16\times3.1)\times14$

$=198.4\times2+49.6\times14$

$=396.8+694.4=1091.2$ (cm^2)입니다.

답 $1091.2\ cm^2$

교과 연계 **초등 1학년**

1권	(1-1) 1학년 1학기 과정	2권	(1-2) 1학년 2학기 과정
1	9까지의 수	1	100까지의 수
2	여러 가지 모양	2	덧셈과 뺄셈(1)
3	덧셈과 뺄셈	3	여러 가지 모양
4	비교하기	4	덧셈과 뺄셈(2)
5	50까지의 수	5	시계 보기와 규칙 찾기
		6	덧셈과 뺄셈(3)

교과 연계 **초등 2학년**

3권	(2-1) 2학년 1학기 과정	4권	(2-2) 2학년 2학기 과정
1	세 자리 수	1	네 자리 수
2	여러 가지 도형	2	곱셈구구
3	덧셈과 뺄셈	3	길이 재기
4	길이 재기	4	시각과 시간
5	분류하기	5	표와 그래프
6	곱셈	6	규칙 찾기

교과 연계 **초등 3학년**

5권	(3-1) 3학년 1학기 과정	6권	(3-2) 3학년 2학기 과정
1	덧셈과 뺄셈	1	곱셈
2	평면도형	2	나눗셈
3	나눗셈	3	원
4	곱셈	4	분수
5	길이와 시간	5	들이와 무게
6	분수와 소수	6	자료의 정리

한 권으로 서술형 끝

정답

12

초등수학
6-2과정

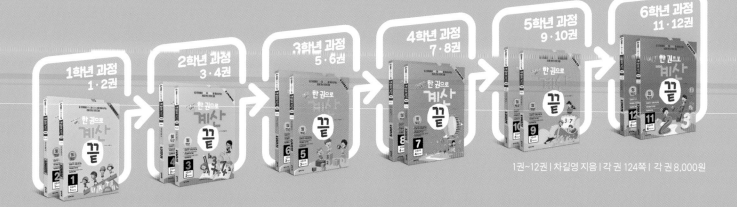

초등
수학

한 권으로 서술형 끝

정답

12

초등수학
6-2 과정

넥서스에듀

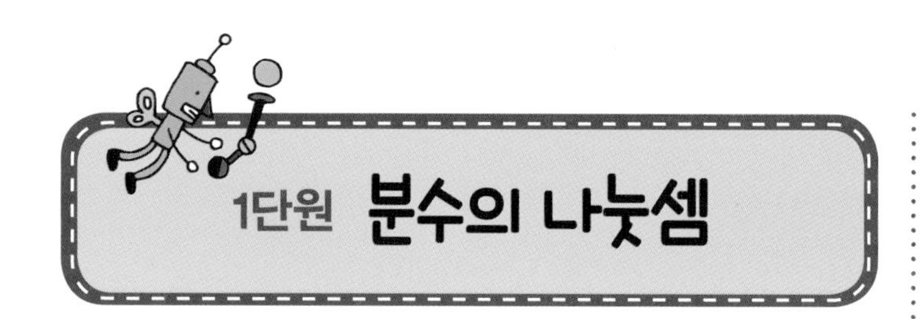

1단원 분수의 나눗셈

핵심유형 1 분자끼리 나누어떨어지는 (분수)÷(분수)

STEP 1 ··· P. 12

1단계 $\frac{15}{17}$, $\frac{3}{17}$

2단계 $\frac{3}{17}$, 컵

3단계 나눕니다

4단계 $\frac{15}{17}$, $\frac{3}{17}$ / 15, 13 / 5

5단계 5

STEP 2 ··· P. 13

1단계 $\frac{14}{16}$, $\frac{7}{16}$

2단계 연주, 윤호, 배

3단계 나눕니다

4단계 $\frac{14}{16}$, $\frac{7}{16}$ / 14, 7 / 2

5단계 따라서 연주가 준비한 밀가루는 윤호가 준비한 밀가루의 2배입니다.

STEP 3 ··· P. 14

❶

풀이 $\frac{12}{17}$, $\frac{4}{17}$ / 12, 4, 3 / 3

답 3배

오답 제로를 위한 **채점 기준표**

	세부 내용	점수
풀이 과정	① (집에서 병원까지의 거리)÷(집에서 문구점까지의 거리)$=\frac{12}{17}\div\frac{4}{17}=12\div4=3$(배)라고 나타낸 경우	7
	② 집에서 병원까지의 거리는 집에서 문구점까지의 거리의 3배라고 쓴 경우	2
답	3배라고 쓴 경우	1
총점		10

❷

풀이 (민진이가 먹은 빵의 양)÷(예준이가 먹은 빵의 양)$=\frac{7}{9}\div\frac{7}{27}=\frac{21}{27}\div\frac{7}{27}=21\div7=3$이므로 민진이가 먹은 빵의 양은 예준이가 먹은 빵의 양의 3배입니다.

답 3배

오답 제로를 위한 **채점 기준표**

	세부 내용	점수
풀이 과정	① (민진이가 먹은 빵의 양)÷(예준이가 먹은 빵의 양)으로 식을 나타낸 경우	9
	② 민진이가 먹은 빵의 양은 예준이가 먹은 빵의 양의 3배라고 쓴 경우	4
답	3배라고 쓴 경우	2
총점		15

핵심유형 2 분자끼리 나누어떨어지지 않는 (분수)÷(분수)

STEP 1 ··· P. 15

1단계 $\frac{7}{9}$, $\frac{4}{18}$

2단계 세로

3단계 가로

4단계 $\frac{7}{9}$, $\frac{4}{18}$ / 14 / 14, 4 / $\frac{14}{4}$, 7, $3\frac{1}{2}$

5단계 $3\frac{1}{2}$

STEP 2 ··· P. 16

1단계 $\frac{2}{5}$, $\frac{2}{35}$

2단계 $\frac{2}{35}$

3단계 나눕니다

4단계 $\frac{2}{5}$, $\frac{2}{35}$, 14, $\frac{2}{35}$ / 14, 2, 7

5단계 따라서 물약은 7일 동안 마실 수 있습니다.

STEP 3 ··· P. 17

❶

풀이 $\frac{27}{10}$ / $\frac{27}{10}$, $\frac{5}{3}$, $\frac{9}{2}$, $4\frac{1}{2}$ / 4 / $\frac{1}{2}$, $\frac{3}{10}$

답 4개, $\frac{3}{10}$m

오답 제로를 위한 **채점 기준표**

	세부 내용	점수
풀이 과정	① $\frac{27}{10} \div \frac{3}{5} = \frac{27}{10} \times \frac{5}{3} = 4\frac{1}{2}$라고 계산한 경우	3
	② 리본은 4개 만든다고 한 경우	2
	③ 남은 끈은 $\frac{3}{5}$의 $\frac{1}{2}$이므로 $\frac{3}{5} \times \frac{1}{2} = \frac{3}{10}$(m)라 한 경우	4
답	4개, $\frac{3}{10}$m라고 모두 쓴 경우	1
총점		10

②

풀이 (전체 철사의 길이)÷(장식품 한 개를 만드는 데 필요한 철사의 길이)$=\frac{27}{28} \div \frac{3}{7} = \frac{27}{28} \times \frac{7}{3} = \frac{9}{4} = 2\frac{1}{4}$이므로 장식품은 2개까지 만들 수 있고 남은 철사는 $\frac{3}{7}$의 $\frac{1}{4}$로 $\frac{3}{7} \times \frac{1}{4} = \frac{3}{28}$(m)입니다.

답 2개, $\frac{3}{28}$m

오답 제로를 위한 **채점 기준표**

	세부 내용	점수
풀이 과정	① $\frac{27}{28} \div \frac{3}{7} = \frac{27}{28} \times \frac{7}{3} = \frac{9}{4} = 2\frac{1}{4}$라고 계산한 경우	5
	② 장식품은 2개 만들 수 있다고 한 경우	2
	③ 남은 철사는 $\frac{3}{7}$의 $\frac{1}{4}$이므로 $\frac{3}{7} \times \frac{1}{4} = \frac{3}{28}$(m)라 한 경우	6
답	2개, $\frac{3}{28}$m라고 모두 쓴 경우	2
총점		15

핵심유형 3 (자연수)÷(분수)의 몫 구하기

STEP 1 ········· P. 18

1단계 8, $\frac{4}{5}$

2단계 1, 거리

3단계 거리, 시간

4단계 $\frac{4}{5}$, $\frac{4}{5}$, 5, 10

5단계 10

STEP 2 ········· P. 19

1단계 3, $\frac{6}{11}$

2단계 밑변

3단계 밑변, 높이, 2

4단계 2 / 3, 2, 6 / 6, 6 / 11 / 11

5단계 따라서 삼각형의 밑변의 길이는 11 cm입니다.

STEP 3 ········· P. 20

①

풀이 5600, $\frac{7}{15}$ / 800, 15, 12000 / 12000

답 12000원

오답 제로를 위한 **채점 기준표**

	세부 내용	점수
풀이 과정	① (쌀 1 kg의 가격)=5600÷$\frac{7}{15}$이라 한 경우	4
	② 5600÷$\frac{7}{15}$=12000(원)임을 계산한 경우	5
답	12000원이라고 쓴 경우	1
총점		10

②

풀이 (감자 1kg의 가격)=(감자 $\frac{2}{5}$kg의 가격)÷$\frac{2}{5}$=3000÷$\frac{2}{5}$ =1500×5=7500(원)입니다. 따라서 감자 1 kg의 가격은 7500원입니다.

답 7500원

오답 제로를 위한 **채점 기준표**

	세부 내용	점수
풀이 과정	① (감자 1 kg의 가격)=3000÷$\frac{2}{5}$라 한 경우	6
	② 3000÷$\frac{2}{5}$=7500(원)임을 계산한 경우	7
답	7500원이라고 쓴 경우	2
총점		15

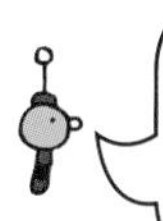

제시된 풀이는 모범답안이므로 채점 기준표를 참고하여 채점하세요.

(대분수)÷(분수)

STEP 1 P. 21

1단계 $\frac{8}{15}$, $10\frac{2}{3}$

2단계 $10\frac{2}{3}$, 백설기

3단계 나눕니다

4단계 $10\frac{2}{3}$, $\frac{8}{15}$, 32, $\frac{15}{8}$, 20

5단계 20

STEP 2 P. 22

1단계 $40\frac{8}{9}$, $10\frac{2}{3}$

2단계 밑변

3단계 밑변, 높이

4단계 $40\frac{8}{9}$, $10\frac{2}{3}$ / 368, 32 / 368, 32 / 23, $3\frac{5}{6}$

5단계 따라서 평행사변형의 밑변의 길이는 $3\frac{5}{6}$ m입니다.

STEP 3 P. 23

1

풀이 $\frac{3}{4}$, $2\frac{2}{3}$ / $\frac{3}{4}$, 8, $\frac{4}{3}$, 32, $3\frac{5}{9}$ / $3\frac{5}{9}$, $\frac{32}{9}$, $\frac{4}{3}$, 128, $4\frac{20}{27}$

답 $4\frac{20}{27}$

오답 제로를 위한 **채점 기준표**

세부 내용		점수
풀이 과정	① 어떤 수를 □라고 하면 $□\times\frac{3}{4}=2\frac{2}{3}$ 나타낸 경우	3
	② $□=2\frac{2}{3}\div\frac{3}{4}=\frac{8}{3}\times\frac{4}{3}=\frac{32}{9}=3\frac{5}{9}$ 계산한 경우	3
	③ 바르게 계산하면 $3\frac{5}{9}\div\frac{3}{4}=\frac{32}{9}\times\frac{4}{3}=\frac{128}{27}=4\frac{20}{27}$ 임을 나타낸 경우	3
답	$4\frac{20}{27}$ 이라고 쓴 경우	1
총점		10

2

풀이 어떤 수를 □라고 하면 $□\div3\frac{10}{9}=1\frac{2}{37}$ 이므로 $□=1\frac{2}{37}\times3\frac{10}{9}=\frac{39}{37}\times\frac{37}{9}=\frac{13}{3}=4\frac{1}{3}$ 입니다. 바르게 계산하면 $4\frac{1}{3}\div3\frac{10}{9}=\frac{13}{3}\div\frac{39}{10}=\frac{13}{3}\times\frac{10}{39}=\frac{10}{9}=1\frac{1}{9}$ 입니다.

답 $1\frac{1}{9}$

오답 제로를 위한 **채점 기준표**

세부 내용		점수
풀이 과정	① 어떤 수를 □라고 하면 $□\div3\frac{10}{9}=1\frac{2}{37}$ 나타낸 경우	4
	② $1\frac{2}{37}\times3\frac{10}{9}=\frac{39}{37}\times\frac{37}{9}=\frac{13}{3}=4\frac{1}{3}$ 계산한 경우	4
	③ 바르게 계산하면 $4\frac{1}{3}\div3\frac{9}{10}=\frac{13}{3}\div\frac{39}{10}=\frac{13}{3}\times\frac{10}{39}=\frac{10}{9}=1\frac{1}{9}$ 계산한 경우	5
답	$1\frac{1}{9}$ 이라고 쓴 경우	2
총점		15

P. 24

1

풀이 두 분수의 분모가 같으면 분자끼리 나눕니다. 7÷6은 분모가 같을 때 분자끼리 나눈 것으로 생각할 수 있고 분모가 10보다 작은 진분수가 되려면 분모는 7보다 크고 10보다 작은 수여야 하므로 분모는 8 또는 9입니다. 따라서 분모가 8인 분수의 나눗셈은 $\frac{7}{8}\div\frac{6}{8}$ 이고 분모가 9인 분수의 나눗셈은 $\frac{7}{9}\div\frac{6}{9}$ 입니다.

답 $\frac{7}{8}\div\frac{6}{8}$, $\frac{7}{9}\div\frac{6}{9}$

오답 제로를 위한 **채점 기준표**

세부 내용		점수
풀이 과정	① 7÷6은 분모가 같을 때 분자끼리 나눈 것이라 한 경우	6
	② 분모가 7보다 크고 10보다 작다고 한 경우	6
	③ 조건을 만족하는 나눗셈은 $\frac{7}{8}\div\frac{6}{8}$, $\frac{7}{9}\div\frac{6}{9}$ 라고 쓴 경우	6
답	$\frac{7}{8}\div\frac{6}{8}$, $\frac{7}{9}\div\frac{6}{9}$ 이라고 모두 쓴 경우	2
총점		20

❷

풀이 (넓이가 1 m^{2}인 벽을 칠하는 데 필요한 페인트의 양)

=(사용한 페인트의 양)÷(벽의 넓이)

$=6\frac{2}{5}\div18\frac{2}{3}=\frac{32}{5}\div\frac{56}{3}=\frac{32}{5}\times\frac{3}{56}=\frac{12}{35}$ (L)입니다.

따라서 넓이가 1 m^{2}인 벽을 칠하는 데 필요한 페인트는 $\frac{12}{35}$ L입니다.

답 $\frac{12}{35}$ L

오답 제로를 위한 **채점 기준표**

	세부 내용	점수
풀이 과정	① (넓이가 1 m^{2}인 벽을 칠하는 데 필요한 페인트의 양)$=6\frac{2}{5}\div18\frac{2}{3}$라 한 경우	5
	② $6\frac{2}{5}\div18\frac{2}{3}=\frac{12}{35}$로 계산한 경우	8
	③ 넓이가 1 m^{2}인 벽을 칠하는 데 필요한 페인트는 $\frac{12}{35}$ L임을 나타낸 경우	5
답	$\frac{12}{35}$ L라고 쓴 경우	2
총점		20

❸

풀이 진우가 가지고 있는 수 카드 중에서 3장으로 만들 수 있는 가장 큰 대분수는 $7\frac{4}{5}$이고 혜지가 가지고 있는 수 카드 중에서 3장으로 만들 수 있는 가장 작은 대분수는 $3\frac{6}{9}$입니다. 따라서 가장 큰 대분수에서 가장 작은 대분수로 나누면 $7\frac{4}{5}\div3\frac{6}{9}=\frac{39}{5}\div\frac{33}{9}=\frac{39}{5}\times\frac{9}{33}=\frac{117}{55}$ $=2\frac{7}{55}$입니다.

답 $2\frac{7}{55}$

오답 제로를 위한 **채점 기준표**

	세부 내용	점수
풀이 과정	① 진우가 만든 수를 $7\frac{4}{5}$라고 쓴 경우	6
	② 혜지가 만든 수를 $3\frac{6}{9}$라고 쓴 경우	6
	③ $7\frac{4}{5}\div3\frac{6}{9}=2\frac{7}{55}$라 한 경우	6
답	$2\frac{7}{55}$이라고 쓴 경우	2
총점		20

❹

풀이 (오후에 캔 고구마의 무게)$=150-73\frac{1}{3}=76\frac{2}{3}$ (kg)입니다. (오후에 캔 고구마의 무게)÷(오전에 캔 고구마의 무게)$=76\frac{2}{3}\div73\frac{1}{3}=\frac{230}{3}\div\frac{220}{3}=230\div220=\frac{23}{22}$ $=1\frac{1}{22}$이므로 오후에 캔 고구마의 무게는 오전에 캔 고구마의 무게의 $1\frac{1}{22}$배입니다.

답 $1\frac{1}{22}$배

오답 제로를 위한 **채점 기준표**

	세부 내용	점수
풀이 과정	① 오후에 캔 고구마의 무게는 $76\frac{2}{3}$kg이라 한 경우	7
	② $76\frac{2}{3}\div73\frac{1}{3}=1\frac{1}{22}$라 한 경우	7
	③ 오후에 캔 고구마의 무게는 오전에 캔 고구마의 무게의 $1\frac{1}{22}$배라고 나타낸 경우	4
답	$1\frac{1}{22}$배라고 쓴 경우	2
총점		20

P. 26

문제 길이가 16 m인 리본이 있습니다. 머리끈 한 개를 만드는 데 $\frac{2}{9}$ m가 필요하다면 이 리본으로 머리끈을 모두 몇 개 만들 수 있는지 풀이 과정을 쓰고, 답을 구하세요.

오답 제로를 위한 **채점 기준표**

	세부 내용	점수
문제	① 16 m, $\frac{2}{9}$ m를 사용한 경우	10
	② 리본, 머리끈을 사용한 경우	5
	③ (자연수)÷(분수) 문제를 만든 경우	10
총점		25

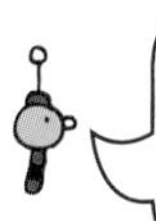

제시된 풀이는 **모범답안**이므로
채점 기준표를 참고하여 채점하세요.

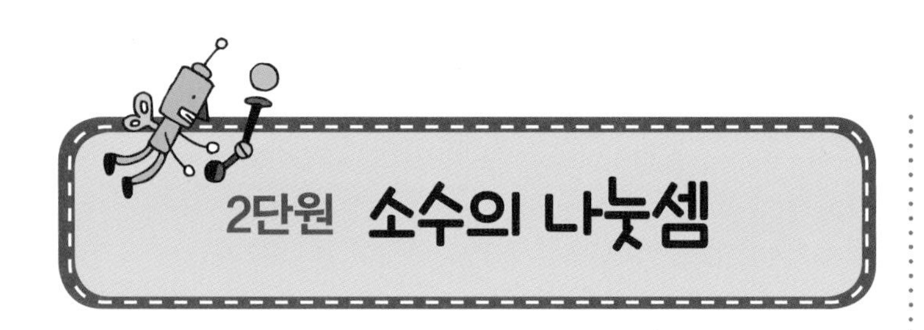

2단원 소수의 나눗셈

소수의 나눗셈

STEP 1 P. 28

1단계 2.4, 0.4

2단계 우유, 나누어

3단계 나누어, 같습니다

4단계 2.4, 24, 6

5단계 6

STEP 2 P. 29

1단계 1.28, 0.16

2단계 리본, 나비

3단계 한, 나눕니다

4단계 1.28, $\frac{128}{100}$, 128, 8

5단계 따라서 민영이가 가지고 있는 리본으로 만들 수 있는 나비 핀은 모두 8개입니다.

STEP 3 P. 30

1

풀이 크게, 작게 / 0.75, 0.12, 6.25 / 6.25

답 6.25

오답 제로를 위한 **채점 기준표**

	세부 내용	점수
풀이 과정	① 나눗셈식에서 몫을 크게 하려면 나누어지는 수를 크게, 나누는 수를 작게 만들어야 함을 나타낸 경우	2
	② (몫이 가장 큰 나눗셈식)=0.75÷0.12=6.25라고 나타낸 경우	5
	③ 몫이 가장 큰 나눗셈식의 몫은 6.25라고 쓴 경우	2
답	6.25라고 쓴 경우	1
총점		10

2

풀이 나눗셈식에서 몫을 가장 작게 하려면 나누어지는 수를 가장 작게 나누는 수를 크게 만들어야 합니다. 2.46÷0.8=3.075이므로 몫이 가장 작은 나눗셈식의 몫은 3.075입니다.

답 3.075

오답 제로를 위한 **채점 기준표**

	세부 내용	점수
풀이 과정	① 나눗셈식에서 몫을 가장 작게 하려면 나누어지는 수를 가장 작게, 나누는 수를 가장 크게 만들어야 함을 나타낸 경우	3
	② (몫이 가장 작은 나눗셈)=2.46÷0.8=3.075라고 나타낸 경우	7
	③ 몫이 가장 작은 나눗셈식의 몫은 3.075라고 쓴 경우	3
답	3.075라고 쓴 경우	2
총점		15

(자연수)÷(소수)

STEP 1 P. 31

1단계 3.8, 95

2단계 95

3단계 나눕니다

4단계 95, $\frac{950}{10}$, 950, 25

5단계 25

STEP 2 P. 32

1단계 2.25, 54

2단계 며칠

3단계 나눕니다

4단계 54, 5400, 24

5단계 따라서 산책로를 24일 동안 걸었습니다.

STEP 3 P. 33

1

풀이 1440, 1.2, 1200 / 1680, 1.5, 1120 / 1200, 1120, B

답 B 마트

오답 제로를 위한 **채점 기준표**

	세부 내용	점수
풀이 과정	① A 마트에서 주스 1L의 가격 1440÷1.2=1200원임을 나타낸 경우	3
	② B 마트에서 주스 1L의 가격 1680÷1.5=1120원임을 나타낸 경우	3
	③ 1200>1120임을 나타낸 경우	2
	④ B 마트에서 사는 것이 더 저렴함을 나타낸 경우	1
답	B 마트라고 쓴 경우	1
총점		10

2

풀이 (수경이가 2.5 m씩 나누어준 사람 수)=20÷2.5=8(명)이고 (승미가 3.5 m씩 나누어준 사람 수)=21÷3.5=6(명)입니다. 8>6이므로 수경이가 더 많은 사람들에게 나누어주었습니다.

답 수경

오답 제로를 위한 **채점 기준표**

	세부 내용	점수
풀이 과정	① (수경이가 2.5 m씩 나누어준 사람 수)=20÷2.5=8(명)	5
	② (승미가 3.5 m씩 나누어준 사람 수)=21÷3.5=6(명)	5
	③ 수경이가 더 많은 사람들에게 나누어줄 수 있음을 나타낸 경우	3
답	수경이라고 쓴 경우	2
총점		15

몫을 반올림하여 나타내기

STEP 1 P. 34

1단계 48, 58

2단계 둘째

3단계 셋째, 반올림

4단계 58, 48, 1.208……, 1.21

5단계 1.21

STEP 2 P. 35

1단계 64.1, 7.5

2단계 차

3단계 셋째, 반올림

4단계 8.5466…… / 8.5 / 8.55 / 8.55, 8.5, 0.05

5단계 따라서 몫을 반올림하여 소수 첫째 자리까지 나타낸 값과 몫을 반올림하여 소수 둘째 자리까지 나타낸 값의 차는 0.05입니다.

STEP 3 P. 36

1

풀이 12.42, 8.24, 4.18 / 4.18, 13, 0.321… / 0.32 / 0.32

답 0.32 kg

오답 제로를 위한 **채점 기준표**

	세부 내용	점수
풀이 과정	① 과자 13개의 무게=12.42−8.24=4.18(kg)임을 나타낸 경우	3
	② (과자 한 개의 무게)=4.18÷13=0.321……로 계산한 경우	3
	③ 소수 둘째 자리까지 나타내면 0.32 kg임을 나타낸 경우	3
답	0.32 kg이라고 쓴 경우	1
총점		10

2

풀이 (귤 23개의 무게)=15.93−9.38=6.55 (kg)이고 (귤 한 개의 무게)=6.55÷23=0.284……이므로 반올림하여 소수 둘째 자리까지 나타내면 0.28 kg입니다. 따라서 귤 한 개의 무게를 반올림하여 소수 둘째 자리까지 나타내면 0.28 kg입니다.

답 0.28 kg

오답 제로를 위한 **채점 기준표**

	세부 내용	점수
풀이 과정	① (귤 23개의 무게)=15.93−9.38=6.55 kg라고 나타낸 경우	5
	② (귤 한 개의 무게)=6.55÷23=0.284……임을 나타낸 경우	5
	③ 소수 셋째 자리까지 나타내면 0.28 kg임을 나타낸 경우	3
답	0.28 kg이라고 쓴 경우	2
총점		15

제시된 풀이는 **모범답안**이므로
채점 기준표를 참고하여 채점하세요.

핵심유형 4 나누어 주고 남는 양 알아보기

STEP 1 P. 37

1단계 33.7, 4

2단계 사람, 남는

3단계 자연수

4단계

5단계 8, 1.7

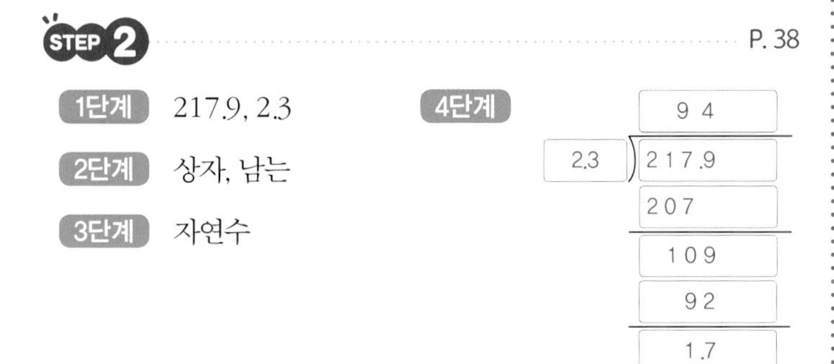

STEP 2 P. 38

1단계 217.9, 2.3

2단계 상자, 남는

3단계 자연수

4단계

5단계 따라서 94개의 선물 상자를 만들 수 있고 남는 끈의 길이는 1.7 m입니다.

STEP 3 P. 39

1

풀이

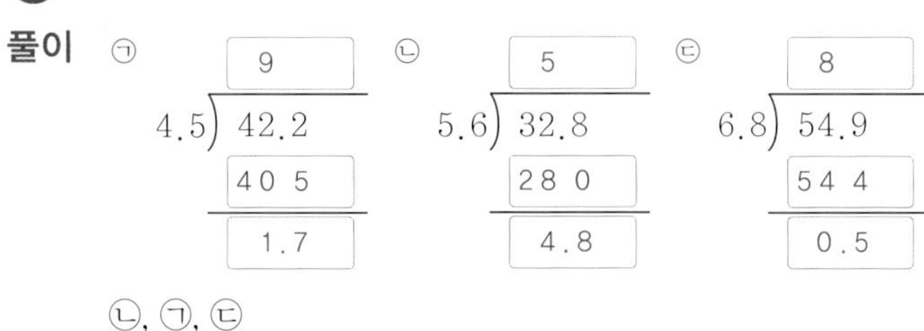

㉡, ㉠, ㉢

답 ㉡, ㉠, ㉢

오답 제로를 위한 **채점 기준표**

	세부 내용	점수
풀이 과정	① ㉠ 42.2÷4.5=9…1.7이라고 나타낸 경우	2
	② ㉡ 32.8÷5.6=5…4.8이라고 나타낸 경우	2
	③ ㉢ 54.9÷6.8=8…10.5라고 나타낸 경우	2
	④ 4.8>1.7>0.5이므로 남는 양을 큰 수부터 차례로 쓰면 ㉡, ㉠, ㉢임을 나타낸 경우	3
답	㉡, ㉠, ㉢이라고 쓴 경우	1
총점		10

2

풀이

윤지: $6.1 \overline{)28.7}$ 몫 4, 24 4, 나머지 4.3

나리: $5.5 \overline{)23.2}$ 몫 4, 22 4, 나머지 1.2

아정: $7.2 \overline{)25.8}$ 몫 3, 21 6, 나머지 4.2

남는 양을 비교하면 1.2<4.2<4.3이므로 남는 양이 작은 사람부터 차례로 이름을 쓰면 나리, 아정, 윤지입니다.

답 나리, 아정, 윤지

오답 제로를 위한 **채점 기준표**

	세부 내용	점수
풀이 과정	① 윤지 28.7÷6.1=4…4.3이라 계산한 경우	3
	② 나리 23.2÷5.5=4…1.2라 계산한 경우	3
	③ 아정 25.8÷7.2=3…4.2라 계산한 경우	3
	④ 남는 양이 작은 사람부터 차례로 이름을 쓰면 나리, 아정, 윤지	4
답	나리, 아정, 윤지라고 쓴 경우	2
총점		15

실력 다지기 P. 40

1

풀이 어떤 수를 □라 하면 □×2.4=28.8이므로 □=28.8÷2.4, □=12입니다. □÷9=12÷9=1.333……입니다. 따라서 어떤 수를 9로 나눈 몫을 반올림하여 소수 둘째 자리까지 나타내면 1.33입니다.

답 1.33

오답 제로를 위한 **채점 기준표**

	세부 내용	점수
풀이 과정	① 어떤 수를 □라 나타낸 경우	2
	② □×2.4=28.8이므로 □=28.8÷2.4, □=12임을 계산한 경우	6
	③ □÷9=12÷9=1.333……으로 계산한 경우	6
	④ 몫을 반올림하여 소수 둘째 자리까지 나타내면 1.33이라고 쓴 경우	4
답	1.33이라고 쓴 경우	2
총점		20

2

풀이 몫을 자연수까지 구하면

$$\begin{array}{r} 88 \\ 3.7\overline{)327} \\ 296 \\ \hline 310 \\ 296 \\ \hline 1.4 \end{array}$$

이므로 88명까지 만들기 체험이 가능합니다.

답 88명

오답 제로를 위한 **채점 기준표**

	세부 내용	점수
풀이 과정	① 327÷3.7=88⋯1.4로 계산한 경우	7
	② 몫을 자연수까지 구한 경우	7
	③ 88명까지 체험할 수 있다고 한 경우	4
답	88명이라고 쓴 경우	2
총점		20

3

풀이 0.243 km=243 m입니다. 산책로 한 쪽의 의자 사이의 간격의 수는 243÷5.4=45(군데)입니다. 산책로의 시작과 끝나는 점에도 의자를 놓는다면 산책로 한쪽에 필요한 의자는 (간격의 수)+1=45+1=46개입니다. 산책로 양쪽에 의자를 놓을 것이므로 의자는 모두 46×2=92(개)가 필요합니다. 의자는 모두 100개가 준비되어 있으므로 100-92=8(개)가 남습니다.

답 8개

오답 제로를 위한 **채점 기준표**

	세부 내용	점수
풀이 과정	① 0.243 km=243 m임을 나타내기	2
	② 산책로 한 쪽의 의자 사이의 간격의 수는 243÷5.4=45(군데)임을 나타내기	4
	③ 산책로 한쪽에 필요한 의자는 (간격의 수)+1=45+1=46(개)임을 나타내기	4
	④ 산책로 양쪽에 의자를 놓을 것이므로 의자는 모두 46×2=92(개)가 필요함을 나타내기	4
	⑤ 의자는 모두 100개가 준비되어 있으므로 100-92=8(개)가 남는다고 쓴 경우	4
답	8개라고 쓴 경우	2
총점		20

4

풀이 (반지 한 개를 만드는 데 필요한 금의 무게)=3.75×1.8=6.75 (g)이므로 (금 270 g으로 만들 수 있는 반지의 개수)=(금의 무게)÷(한 개 만드는 데 필요한 금의 무게)=270÷6.75=40(개)입니다.

답 40개

오답 제로를 위한 **채점 기준표**

	세부 내용	점수
풀이 과정	① (반지 한 개를 만드는 데 필요한 금의 무게)=3.75×1.8=6.75 (g)라고 계산한 경우	6
	② 270÷6.75=40이라고 계산한 경우	6
	③ 270 g으로 만들 수 있는 반지는 40개라고 쓴 경우	6
답	40개라고 쓴 경우	2
총점		20

P. 42

문제 컵 A의 아이스크림은 0.5kg에 4500원이고, 컵 B의 아이스크림은 0.9kg에 7500원입니다. 컵 A와 컵 B 중 어느 아이스크림이 더 저렴한지 풀이 과정을 쓰고, 답을 구하세요.

오답 제로를 위한 **채점 기준표**

	세부 내용	점수
문제	① 0.5 kg, 0.9 kg, 4500원, 7500원을 모두 사용한 경우	5
	② '컵 A', '컵 B', '아이스크림'이라는 낱말을 나타낸 경우	5
	③ (자연수)÷(소수) 문제를 만든 경우	5
총점		15

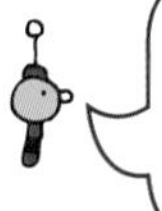

제시된 풀이는 모범답안이므로
채점 기준표를 참고하여 채점하세요.

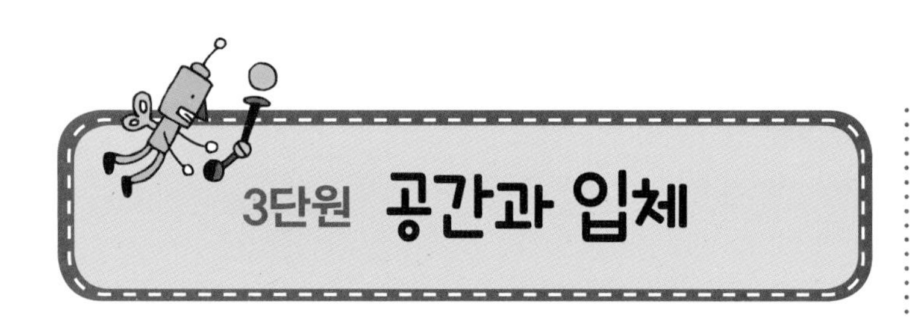

쌓기나무 개수 구하기(1)
쌓은 모양과 위에서 본 모양 이용

STEP 1 P. 44

1단계 쌓기나무, 위

2단계 쌓기나무

3단계 더합니다

4단계 같습니다, 5, 3, 1 / 5, 1, 9

5단계 9

STEP 2 P. 45

1단계 위

2단계 쌓기나무

3단계 더합니다

4단계 2, 6, 4, 3 / 6, 4, 13

5단계 따라서 쌓기나무를 최대한 많이 사용하여 만들 때 필요한 쌓기나무는 13개입니다.

STEP 3 P. 46

1

풀이 3, 1, 8 / 4, 2, 10 / 8, 10, ㉯

답 ㉯

오답 제로를 위한 채점 기준표

세부 내용		점수
풀이 과정	① ㉮는 8개의 쌓기나무가 사용됐다고 한 경우	3
	② ㉯는 12개의 쌓기나무가 사용됐다고 한 경우	3
	③ 사용된 쌓기나무가 더 많은 것은 ㉯라고 쓴 경우	3
답	㉯라고 쓴 경우	1
총점		10

2

풀이 위에서 본 모양은 1층에 쌓은 모양과 같습니다. ㉮를 쌓는 데 사용된 쌓기나무는 7+4+1=12(개)이고 ㉯를 쌓는 데 사용된 쌓기나무는 5+2+1=8(개)입니다. 12 > 8이므로 사용된 쌓기나무가 더 많은 것은 ㉮입니다.

답 ㉮

오답 제로를 위한 채점 기준표

세부 내용		점수
풀이 과정	① ㉮는 12개의 쌓기나무가 필요하다고 한 경우	5
	② ㉯는 8개의 쌓기나무가 필요하다고 한 경우	5
	③ 사용된 쌓기나무가 더 많은 것은 ㉮라고 쓴 경우	3
답	㉮라고 쓴 경우	2
총점		15

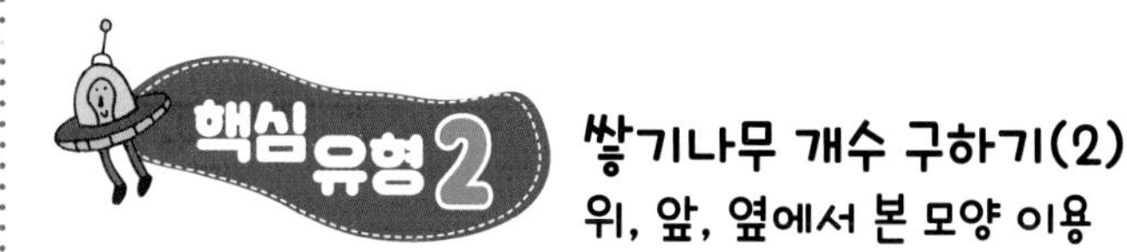

쌓기나무 개수 구하기(2)
위, 앞, 옆에서 본 모양 이용

STEP 1 P. 47

1단계 쌓기나무, 위

2단계 앞, 옆

3단계 앞, 높은

4단계 없습니다 / 3, 1 / 1, 3

5단계 ㉠, ㉢

STEP 2 P. 48

1단계 위, 앞, 옆

2단계 쌓기나무

3단계 더합니다

4단계 1, ㉥ / ㉤ / 1, 2, 3, 10

5단계 따라서 쌓는 데 사용된 쌓기나무의 개수는 10개입니다.

STEP 3 P. 49

1

풀이 11, 9, 11, 9, 20

답 20개

위

1	2	3
2		1

위

2	2	3
2		2

오답 제로를 위한 **채점 기준표**

	세부 내용	점수
풀이 과정	① 쌓은 쌓기나무가 가장 많은 경우는 11개라고 나타낸 경우	3
	② 쌓은 쌓기나무가 가장 적은 경우는 9개라고 나타낸 경우	3
	③ 가장 많은 경우와 가장 적은 경우의 쌓기나무 수의 합은 9+11=20(개)라고 쓴 경우	3
답	20개라고 쓴 경우	1
총점		10

2

풀이 위에서 본 모양의 각 자리에 쌓은 쌓기나무 수를 쓰면 다음과 같습니다.

위

	3	3
2	1	1
2	1	1

위

	3	3
2	2	2
2	2	2

따라서 쌓기나무의 최대 개수는 18개이고 최소 개수는 14개이므로 사용한 쌓기나무의 최대, 최소 개수의 차는 18-14=4(개)입니다.

답 4개

오답 제로를 위한 **채점 기준표**

	세부 내용	점수
풀이 과정	① 쌓은 쌓기나무가 가장 적은 경우는 14개라고 나타낸 경우	5
	② 쌓은 쌓기나무가 가장 많은 경우는 18개라고 나타낸 경우	5
	③ 가장 많은 경우와 가장 적은 경우의 쌓기나무 수의 차는 18-14=4(개)라고 나타낸 경우	3
답	4개라고 쓴 경우	2
총점		15

핵심유형 3 쌓기나무 개수 구하기(3)
위에서 본 모양에 수를 쓰는 방법

STEP 1 .... P. 50

1단계 위

2단계 75, 쌓기나무

3단계 수, 더해서

4단계 1, 1, 1, 10, 7, 5

2	3	
2	1	1
	1	

5단계 7, 5

STEP 2 .... P. 51

1단계 위

2단계 60, 쌓기나무

3단계 더해서, 쌓기나무

4단계 1, 1, 1, 8, 8, 7, 4

5단계 따라서 쌓기나무 60개로 이와 같은 모양을 7개까지 만들 수 있고 남는 쌓기나무는 4개입니다.

STEP 3 .... P. 52

1

풀이 3, 10, 27, 17

답 17개

오답 제로를 위한 **채점 기준표**

	세부 내용	점수
풀이 과정	① 남은 쌓기나무의 수를 10개라 한 경우	4
	② 빼낸 쌓기나무의 수를 17개라 한 경우	5
답	17개라 쓴 경우	1
총점		10

2

풀이 한 모서리에 쌓기나무 4개씩을 쌓아서 만든 정육면체에 사용된 쌓기나무의 수는 4×4×4=64(개)입니다. 쌓기나무를 빼내고 남은 쌓기나무의 수는 1+1+2+2+1+3+2+1+1+4=18(개)이므로 빼낸 쌓기나무의 수는 64-18=46(개)입니다.

답 46개

오답 제로를 위한 **채점 기준표**

	세부 내용	점수
풀이 과정	① 정육면체에 쌓기나무 수를 64개라 한 경우	3
	② 남은 쌓기나무의 수를 18개라 한 경우	3
	③ 빼낸 쌓기나무의 수를 46개라 한 경우	3
답	46개를 쓴 경우	6
총점		15

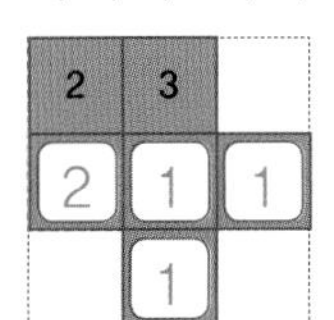

제시된 풀이는 **모범답안**이므로
채점 기준표를 참고하여 채점하세요.

쌓기나무 개수 구하기(4)
층별로 나타낸 모양 이용

STEP 1 P. 53

1단계 층별

2단계 쌓기나무, 기호

3단계 더합니다, 위치

4단계 7, 3 / 2, 7, 3, 2, 12 / ㉡

5단계 12, ㉡

STEP 2 P. 54

1단계 층별

2단계 쌓기나무

3단계 더합니다, 위치

4단계 5, 3 / 1, 3, 9 / 나경

5단계 따라서 쌓은 쌓기나무의 수는 9개이고, 나경이가 쌓은 것입니다.

STEP 3 P. 55

1

풀이 2, 6, 6

답 6개

오답 제로를 위한 **채점 기준표**

	세부 내용	점수
풀이 과정	① 2 이상의 수가 쓰인 칸의 수를 센다고 한 경우	4
	② 각 칸에 있는 수가 2 이상인 칸은 6칸이므로 2층에 있는 쌓기나무는 6개라고 나타낸 경우	5
답	6개라고 쓴 경우	1
총점		10

2

풀이 3층에 사용된 쌓기나무는 3 이상의 수가 쓰여 있는 칸의 수를 세어 봅니다. 각 칸에 있는 수가 3 이상인 칸은 6칸이므로 3층에 사용된 쌓기나무는 6개입니다.

답 6개

오답 제로를 위한 **채점 기준표**

	세부 내용	점수
풀이 과정	① 3 이상의 수가 쓰여진 칸의 수를 센다고 한 경우	6
	② 각 칸에 있는 수가 3 이상인 칸은 6칸이므로 3층에 있는 쌓기나무는 6개임을 나타낸 경우	7
답	6개라고 쓴 경우	2
총점		15

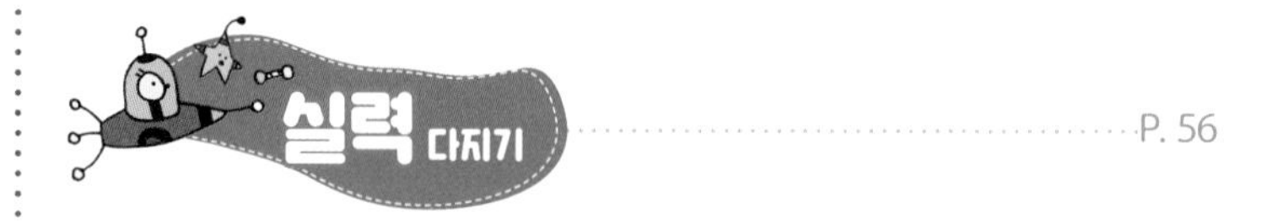

P. 56

1

풀이 위, 앞, 옆에서 본 모양은

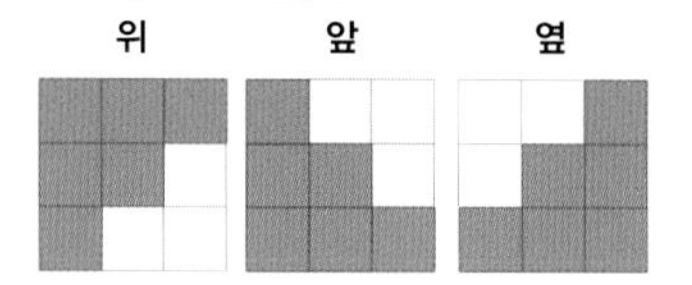

이고 ㉠을 빼냈을 때 위, 앞, 옆에서 본 모양은

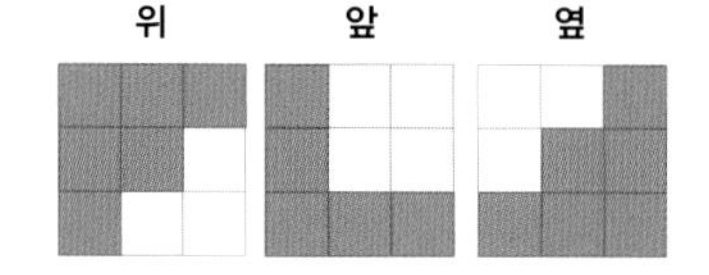

입니다. 따라서 달라진 모양은 ㉡입니다.

답 ㉡

오답 제로를 위한 **채점 기준표**

	세부 내용	점수
풀이 과정	① 위, 앞, 옆에서 본 모양은 (위, 앞, 옆) 라고 그린 경우	7
	② ㉠을 빼냈을 때 위, 앞, 옆에서 본 모양은 (위, 앞, 옆) 라고 그린 경우	7
	③ 앞에서 본 모양이 달라졌음을 나타낸 경우	4
답	㉡이라고 쓴 경우	2
		20

❷

풀이 혜진이가 쌓은 쌓기나무에는 보이지 않는 쌓기나무가 있을 수 있습니다. 가장 적게 사용된 경우는 9개이고 가장 많게 사용된 경우는 12개입니다. 따라서 잘못 이야기한 친구는 동진이입니다.

답 동진

오답 제로를 위한 **채점 기준표**

	세부 내용	점수
풀이 과정	① 혜진이가 쌓은 쌓기나무에는 보이지 않는 쌓기나무가 있을 수 있음을 나타낸 경우	2
	② 가장 적게 사용된 경우는 9개라고 나타낸 경우	6
	③ 가장 많게 사용된 경우는 12개라고 나타낸 경우	6
	④ 잘못 이야기한 친구는 동진이라고 쓴 경우	4
답	동진이라고 쓴 경우	2
총점		20

❸

풀이 준기가 앞에서 보았을 때 보이는 쌓기나무의 면의 수는 1+2+3+2=8(개)이고, 아영이가 옆에서 보았을 때 보이는 쌓기나무의 면의 수는 2+3+1=6(개)입니다. 따라서 준기와 아영이가 구한 쌓기나무의 면의 수의 차는 8-6=2(개)입니다.

답 2개

오답 제로를 위한 **채점 기준표**

	세부 내용	점수
풀이 과정	① 준기가 앞에서 보았을 때 보이는 쌓기나무의 면의 수는 1+2+3+2=8(개)임을 나타낸 경우	6
	② 아영이가 옆에서 보았을 때 보이는 쌓기나무의 면의 수는 2+3+1=6(개)임을 나타낸 경우	6
	③ 준기와 아영이가 구한 쌓기나무의 면의 수의 차는 8−6=2(개)라고 나타낸 경우	6
답	2개라고 쓴 경우	2
총점		20

❹

풀이 한 면만 칠해진 것은 각 면의 가운데 쌓기나무로 4×6=24(개)이고, 두 면이 칠해진 것은 모서리의 가운데 있는 쌓기나무로 2×12=24(개)이고 세 면이 칠해진 것은 꼭짓점에 있는 쌓기나무로 8개입니다. 한 면도 칠해지지 않는 것은 정육면체 속의 보이지 않는 쌓기나무로 64-(24+24+8)=8개입니다. 따라서 ㉠=8, ㉡=24, ㉢=24, ㉣=8이므로 (㉠+㉡)×㉢-㉣=(8+24)×24-8=760입니다.

답 760개

오답 제로를 위한 **채점 기준표**

	세부 내용	점수
풀이 과정	① 한 면만 칠해진 것은 각 면의 가운데 쌓기나무로 4×6=24(개)라고 나타낸 경우	3
	② 두 면이 칠해진 것은 모서리의 가운데 있는 쌓기나무로 2×12=24(개)라고 나타낸 경우	3
	③ 세 면이 칠해진 것은 꼭짓점에 있는 쌓기나무는 8개라고 나타낸 경우	3
	④ 한 면도 칠해지지 않는 쌓기나무는 64−(24+24+8)=8개라고 나타낸 경우	4
	⑤ (㉠+㉡)×㉢−㉣=(8+24)×24−8=760이라 한 경우	5
답	760이라 쓴 경우	2
총점		20

P. 60

문제 쌓은 모양과 위에서 본 모양을 보고 똑같이 쌓으려면 쌓기나무는 모두 몇 개가 필요한지 풀이 과정을 쓰고, 답을 구하세요.

오답 제로를 위한 **채점 기준표**

	세부 내용	점수
문제	① 쌓은 모양과 위에서 본 모양을 사용한 경우	7
	② 필요한 쌓기나무의 개수를 구하는 문제를 만든 경우	8
총점		15

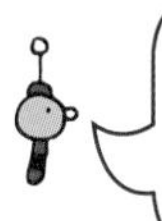

제시된 풀이는 모범답안이므로
채점 기준표를 참고하여 채점하세요.

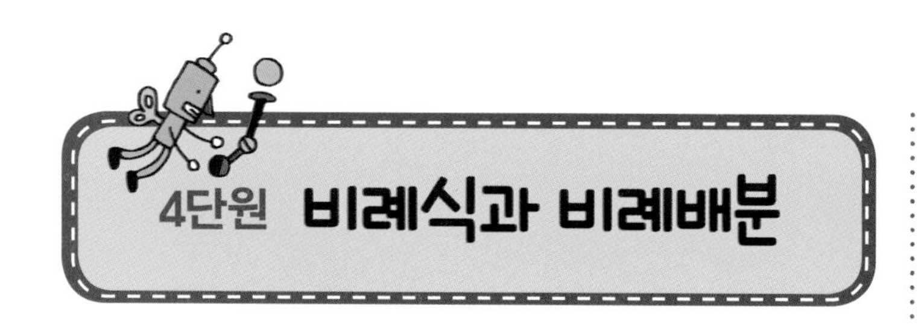

4단원 비례식과 비례배분

비의 성질

STEP 1 ······ P. 62

- 1단계 15, 8, 90
- 2단계 세로
- 3단계 0, 같은, 비율
- 4단계 15, 8 / 15, 6 / 6 / 6, 6, 48
- 5단계 48

STEP 2 ······ P. 63

- 1단계 16500
- 2단계 하루
- 3단계 0, 같은, 비율
- 4단계 11 / 11, 11 / 11 / 0, 같은, 11 / 11, 11, 1500
- 5단계 따라서 지연이가 하루에 받은 용돈은 1500원입니다.

STEP 3 ······ P. 64

1

풀이 15, 3, 3, 3, 21, 21, 36

답 36 cm

오답 제로를 위한 **채점 기준표**

	세부 내용	점수
풀이 과정	① 후항에 3을 곱해 15라고 나타낸 경우	3
	② 전항에도 3을 곱하여 21이라고 나타낸 경우	3
	③ 21+15=36이라고 나타낸 경우	3
답	36 cm라고 쓴 경우	1
총점		10

2

풀이 가로와 세로의 비가 8:3이므로 가로가 240 cm가 되려면 전항에 30을 곱하여야 하므로 후항에도 똑같이 30을 곱하면 $3\times30=90$입니다. 따라서 가로가 240 cm이고 세로가 90 cm인 직사각형의 넓이는 $240\times90=21600$ (cm^2)입니다.

답 21600 cm^2

오답 제로를 위한 **채점 기준표**

	세부 내용	점수
풀이 과정	① 전항에 30을 곱해 240이 되었다고 한 경우	3
	② 후항에 30을 곱해 90이 되었다고 한 경우	5
	③ 직사각형의 넓이는 $240\times90=21600$ cm^{2}라고 나타낸 경우	5
답	21600 cm^{2}라고 쓴 경우	2
총점		15

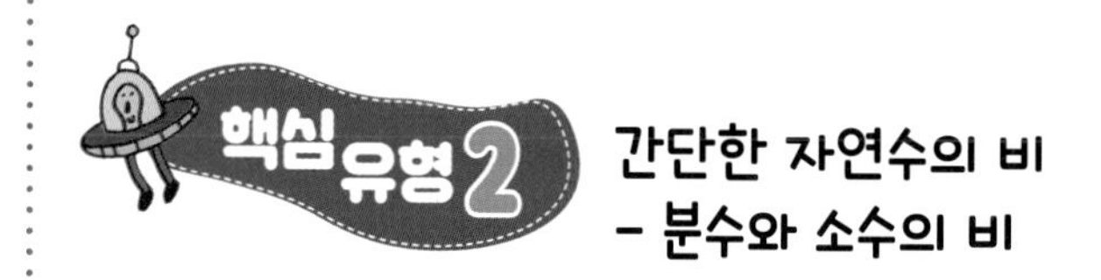

간단한 자연수의 비 - 분수와 소수의 비

STEP 1 ······ P. 65

- 1단계 2.4, $1\frac{1}{4}$
- 2단계 높이, 자연수
- 3단계 소수, 자연수
- 4단계 1.25, 1.25 / 100, 125 / 5, 48, 25
- 5단계 48, 25

STEP 2 ······ P. 66

- 1단계 1.1, $2\frac{1}{9}$
- 2단계 무게, 자연수
- 3단계 분수, 자연수
- 4단계 $1\frac{1}{10}$, $1\frac{1}{10}$ / $\frac{11}{10}$, $\frac{19}{9}$, 90 / 90, 99, 190
- 5단계 따라서 빨간색 바구니와 파란색 바구니의 무게의 비를 가장 간단한 자연수의 비로 나타내면 99:190입니다.

STEP 3 P. 67

1

풀이 $\frac{5}{2}, \frac{5}{4}$ / $\frac{8}{3}, \frac{4}{3}$ / $\frac{5}{4}, \frac{4}{3}, \frac{5}{4}, \frac{4}{3}$ / $\frac{5}{4}$, 12, $\frac{4}{3}$, 12, 15, 16

답 15:16

오답 제로를 위한 **채점 기준표**

	세부 내용	점수
풀이 과정	① (㉮의 넓이)=□× $\frac{5}{2}$ ÷2= $\frac{5}{4}$ ×□ (cm²)라 한 경우	3
	② (㉯의 넓이)=□× $\frac{8}{3}$ ÷2= $\frac{4}{3}$ ×□ (cm²)라 한 경우	3
	③ (㉮의 넓이):(㉯의 넓이)=15:16이라 한 경우	3
답	15:16이라고 쓴 경우	1
	총점	10

2

풀이 직사각형 ㉮와 ㉯의 세로를 □cm라 하면 (㉮의 넓이)=8×□(cm²), (㉯의 넓이)=12×□(cm²)입니다. (㉮의 넓이):(㉯의 넓이)는 (8×□):(12×□)→ 8:12→ (8÷4):(12÷4)→2:3입니다.

답 2:3

오답 제로를 위한 **채점 기준표**

	세부 내용	점수
풀이 과정	① (㉮의 넓이)=8×□ (cm²)임을 나타낸 경우	4
	② (㉯의 넓이)=12×□ (cm²)임을 나타낸 경우	4
	③ (㉮의 넓이):(㉯의 넓이)=2:3이라 한 경우	5
답	2:3이라고 쓴 경우	2
	총점	15

비례식의 성질

STEP 1 P. 68

1단계 4.2, 16, $\frac{3}{5}$

2단계 ㉠, ㉡

3단계 외항, 같습니다

4단계 4.2 / 67.2, 5.6 / $\frac{3}{5}$ / 6, 21

5단계 5.6, 21

STEP 2 P. 69

1단계 5, 7, 35

2단계 가로

3단계 외항, 같습니다, 비례식

4단계 35, 35 / 35 / 175, 25

5단계 따라서 선물 상자의 가로는 25 cm입니다.

STEP 3 P. 70

1

풀이 26000 / 26000, 13 / 13, 234000, 18000 / 18000

답 18000원

오답 제로를 위한 **채점 기준표**

	세부 내용	점수
풀이 과정	① 청소년의 저녁 식사 가격을 □원이라 하여 9:13=□:26000라 한 경우	3
	② 9×26000=13×□이므로 13×□=234000, □=18000원임을 계산한 경우	3
	③ 청소년의 저녁 식사 가격은 18000원이라고 쓴 경우	3
답	18000원이라고 쓴 경우	1
	총점	10

2

풀이 비율이 $\frac{5}{6}$를 비로 나타내면 5:6이므로 우경이와 연경이의 몸무게의 비는 5:6입니다. 우경이의 몸무게를 □kg이라 하면 5:6=□:54입니다. 5×54=6×□, 6×□=270, □=45입니다. 따라서 우경이의 몸무게는 45 kg입니다.

답 45 kg

오답 제로를 위한 **채점 기준표**

	세부 내용	점수
풀이 과정	① 우경이와 연경이의 몸무게의 비는 5:6임을 나타낸 경우	3
	② 우경이의 몸무게를 □ kg이라 하면 5:6=□:54임을 나타낸 경우	4
	③ 5×54=6×□, 6×□=270, □=45 계산한 경우	4
	④ 우경이의 몸무게는 45 kg임을 나타낸 경우	2
답	45 kg이라고 쓴 경우	2
	총점	15

제시된 풀이는 모범답안이므로
채점 기준표를 참고하여 채점하세요.

비례배분

STEP 1 P. 71

1단계 20000, 9, 7

2단계 승준

3단계 배분

4단계 $\frac{9}{16}$, $\frac{7}{16}$ / $\frac{9}{16}$, 11250

5단계 11250

STEP 2 P. 72

1단계 200, 24, 26

2단계 초콜릿, 나누어

3단계 배분

4단계 자연수 / 12, 13, $\frac{12}{25}$ / $\frac{13}{25}$ / $\frac{12}{25}$, 96 / $\frac{13}{25}$, 104

5단계 따라서 ㉮ 모둠에는 96개, ㉯ 모둠에는 104개를 나누어 주어야 합니다.

STEP 3 P. 73

1

풀이 $\frac{3}{8}$, 90, 150 / $\frac{2}{5}$ / $\frac{2}{5}$, 60

답 60개

오답 제로를 위한 **채점 기준표**

	세부 내용	점수
풀이 과정	① 두 모둠이 먹게 되는 귤의 수는 150개라 한 경우	3
	② (서윤이네 모둠이 먹게 되는 귤의 수)=150×$\frac{2}{5}$=60(개)라고 나타낸 경우	3
	③ 서윤이네 모둠이 먹게 되는 귤의 수는 60개임을 나타낸 경우	3
답	60개라고 쓴 경우	1
총점		10

2

풀이 서진이와 민우가 모은 칭찬 붙임딱지 수의 비를 간단한 자연수의 비로 나타내면 $\frac{1}{4}:\frac{1}{7}=\left(\frac{1}{4}\times28\right):\left(\frac{1}{7}\times28\right)=7:4$입니다. 서진이가 모은 칭찬 붙임딱지는 전체의 $\frac{7}{11}$이므로

(서진이가 모은 칭찬 붙임딱지 수)

$=220\times\frac{7}{11}=140$(개)입니다.

답 140개

오답 제로를 위한 **채점 기준표**

	세부 내용	점수
풀이 과정	① 서진이와 민우가 모은 칭찬 붙임딱지 수의 비를 간단한 자연수의 비로 나타내면 7:4라 한 경우	3
	② (서진이가 모은 칭찬 붙임딱지)=220×$\frac{7}{11}$=140(개)라 한 경우	5
	③ 서진이가 모은 칭찬 붙임딱지는 모두 140개라고 쓴 경우	5
답	140개라고 쓴 경우	2
총점		15

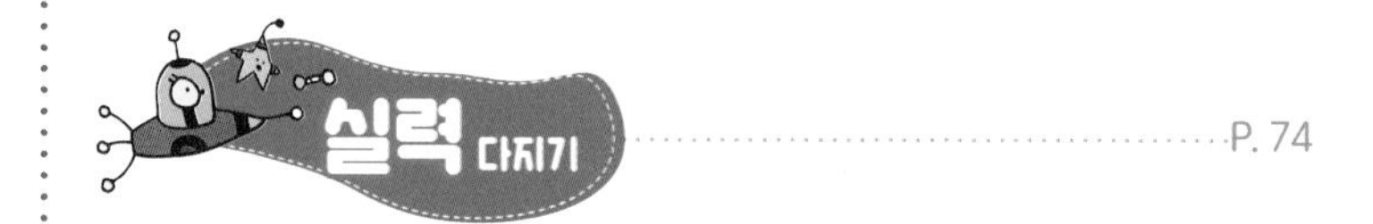

P. 74

1

풀이 (㉮의 톱니 수):(㉯의 톱니 수)=27:18=3:2입니다. (㉮의 톱니 수):(㉯의 톱니 수)=(㉯의 회전 수):(㉮의 회전 수)이므로 톱니바퀴 ㉯가 24바퀴 도는 동안 톱니바퀴 ㉮가 도는 바퀴 수를 □라 하면 3:2=24:□입니다. 비례식의 성질에 의해 3×□=2×24, 3×□=48, □=16이므로 톱니바퀴 ㉯가 24바퀴 도는 동안 ㉮는 16바퀴 돕니다.

답 16바퀴

오답 제로를 위한 **채점 기준표**

	세부 내용	점수
풀이 과정	① (㉮의 회전 수):(㉯의 회전 수)=(㉯의 톱니 수):(㉮의 톱니 수)이므로 27:18=3:2라고 나타낸 경우	6
	② 톱니바퀴 ㉯가 24바퀴 도는 동안 톱니바퀴 ㉮가 도는 바퀴 수를 □라 하면 3:2=24:□임을 쓴 경우	5
	③ 3×□=2×24, 3×□=48, □=16으로 계산한 경우	3
	④ 톱니바퀴 ㉯가 24바퀴 도는 동안 톱니바퀴 ㉮는 16바퀴 돈다고 쓴 경우	4
답	16바퀴라고 쓴 경우	2
총점		20

2

풀이 1반과 2반이 나누어 가지려는 비를 간단한 자연수의 비로 나타내면 $4\frac{1}{5}$:5.6=3:4입니다. 탁구공 140개를 1반과 2반이 3:4로 나누어 연습해야 하므로 (2반이 연습에 사용할 탁구공의 수)=$140\times\frac{4}{3+4}=140\times\frac{4}{7}$(개)입니다.

답 80개

오답 제로를 위한 **채점 기준표**

	세부 내용	점수
풀이 과정	① 1반과 2반이 나누어 가지려는 비를 3:4라 한 경우	9
	② (2반이 연습에 사용할 탁구공의 수)=$140\times\frac{4}{3+4}=140\times\frac{4}{7}$=80(개)라 한 경우	9
답	80개라고 쓴 경우	2
총점		20

3

풀이 15분 동안 20 km를 가므로 걸린 시간과 간 거리의 비는 15:20=3:4이고 196 km를 가는데 걸린 시간을 □분이라 하면 3:4=□:196, 3×196=4×□, 4×□=588, □=147입니다. 할머니 댁까지 가는 데 걸리는 시간은 147분으로 2시간 27분입니다.

답 2시간 27분

오답 제로를 위한 **채점 기준표**

	세부 내용	점수
풀이 과정	① 15분 동안 20 km를 가므로 15:20의 간단한 자연수의 비는 3:4임을 나타낸 경우	2
	② 할머니 댁에 가는데 걸리는 시간은 □분이라 하여 3:4=□:196라 한 경우	6
	③ □=147이라 한 경우	7
	④ 할머니 댁까지 가려면 2시간 27분 걸린다 한 경우	3
답	2시간 27분이라고 쓴 경우	2
총점		20

4

풀이 정윤이와 진석이가 투자한 금액의 비는 49만:70만=7:10입니다. 전체 이익금을 □원이라 하면 진석이가 30만 원을 받았으므로 □×$\frac{10}{7+10}$=30만, □=30만÷$\frac{10}{17}$=30만×$\frac{17}{10}$=51만입니다. 따라서 전체 이익금은 51만 원입니다.

답 51만 원

오답 제로를 위한 **채점 기준표**

	세부 내용	점수
풀이 과정	① 투자한 금액의 비를 7:10라고 나타낸 경우	5
	② 전체 이익금을 □원이라 할 때, 진석이의 이익금은 □×$\frac{10}{7+10}$이라고 나타낸 경우	5
	③ □=51만이라 한 경우	5
	④ 전체 이익금은 51만 원이라고 쓴 경우	3
답	51만 원이라고 쓴 경우	2
총점		20

P. 76

문제 3 m^2의 벽을 칠하는 데 0.9 L의 페인트가 필요합니다. 18 m^2의 벽을 칠하는 데 필요한 페인트는 몇 L인지 비례식을 세워 구하려고 합니다. 풀이 과정을 쓰고, 답을 구하세요.

오답 제로를 위한 **채점 기준표**

	세부 내용	점수
문제	① 주어진 넓이와 들이를 사용한 경우	10
	② '벽', '페인트'라는 낱말을 나타낸 경우	5
	③ 비례식의 성질로 풀 수 있는 문제를 만든 경우	10
총점		25

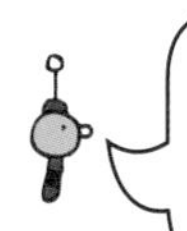

제시된 풀이는 모범답안이므로
채점 기준표를 참고하여 채점하세요.

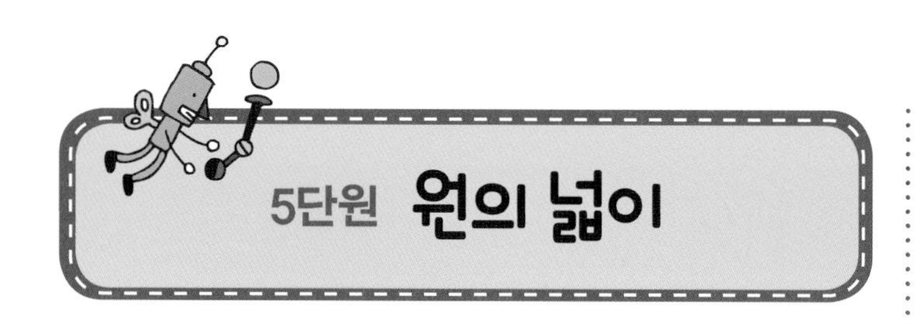

5단원 원의 넓이

핵심유형 1 원주와 지름 구하기

STEP 1 P. 78

1단계 53.38, 3.14

2단계 지름

3단계 원주, 원주율

4단계 원주, 53.38, 3.14, 17

5단계 17

STEP 2 P. 79

1단계 60, 200

2단계 둘레

3단계 한, 60

4단계 원주율 / 3.1, 186 / 200 / 186, 200, 37200 / 37200, 372

5단계 따라서 공원의 둘레는 372 m입니다.

STEP 3 P. 80

1

풀이 80, 3.1, 248 / 거리, 원주 / 1240, 248, 5, 5

답 5바퀴

오답 제로를 위한 채점 기준표

세부 내용		점수
풀이 과정	① 굴렁쇠 원주를 248 cm라 한 경우	3
	② 1240÷248=5라 한 경우	3
	③ 굴렁쇠가 5바퀴 굴렀다고 한 경우	3
답	5바퀴라고 쓴 경우	1
총점		10

2

풀이 (원주)=(지름)÷(원주율)이므로 (타이어의 원주)=100×3.1=310 (cm)입니다.
(굴려야 하는 바퀴 수)=(굴려야 하는 거리)÷(타이어의 원주)=2480÷310=8(바퀴)입니다.

답 8바퀴

오답 제로를 위한 채점 기준표

세부 내용		점수
풀이 과정	① (타이어의 원주)=100×3.1=310 (cm)임을 나타낸 경우	5
	② 2480÷310=8로 계산한 경우	5
	③ 8바퀴 굴려야 한다고 한 경우	3
답	8바퀴라고 쓴 경우	2
총점		15

핵심유형 2 원의 넓이 어림하기

STEP 1 P. 81

1단계 8, 4

2단계 합

3단계 안, 밖

4단계 8, 마름모 / 8, 8, 2, 32 / 8, 8, 64 / 32, 64, 64, 96

5단계 96

STEP 2 P. 82

1단계 20, 15

2단계 차

3단계 6, 6, 곱합니다

4단계 6, 90 / 6, 120 / 90, 120 / 90, 30

5단계 따라서 □ 안에 들어가야 할 수들의 차는 30입니다.

STEP 3 P. 83

1

풀이 60, 88 / 60 / 88, 60, 88 / 60, 88, 5280

답 5280

오답 제로를 위한 **채점 기준표**

	세부 내용	점수
풀이 과정	모눈 한 칸의 넓이를 1 cm²라고 한 경우	1
	빨간색 모눈의 넓이를 88 cm²라고 한 경우	2
	파란색 모눈의 넓이를 60 cm²라고 한 경우	2
	□ 안에 들어갈 수를 60, 88이라고 한 경우	2
	□ 안에 들어갈 수들의 곱을 5280으로 구한 경우	2
답	5280을 쓴 경우	1
	총점	10

2

풀이 (파란색 모눈의 칸의 수)=25칸이고, (빨간색 선 안쪽의 모눈의 칸의 수)=45칸입니다. 모눈 한 칸의 넓이는 1 cm²이므로 파란색 모눈의 넓이는 25 cm²이고 빨간색 선 안쪽의 모눈의 넓이는 45 cm²입니다. 25 cm²<(원의 넓이)<45 cm²이므로 □ 안에 들어가야 할 수들의 곱은 25×45=1125입니다.

답 1125

오답 제로를 위한 **채점 기준표**

	세부 내용	점수
풀이 과정	모눈 한 칸의 넓이를 1 cm²라고 한 경우	2
	빨간색 모눈의 넓이를 45 cm²라고 한 경우	3
	파란색 모눈의 넓이를 25 cm²라고 한 경우	3
	□ 안에 들어갈 수를 25, 45라고 한 경우	3
	□ 안에 들어갈 수들의 곱을 1125로 구한 경우	2
답	1125를 쓴 경우	2
	총점	15

원의 넓이 구하기

STEP 1 P. 84

1단계 16, 20

2단계 직사각형

3단계 원주율

4단계 가로 / 가로, 16, 8 / 원주율 / 8, 8, 200.96

5단계 200.96

STEP 2 P. 85

1단계 36

2단계 정사각형, 원

3단계 반지름

4단계 지름 / 36 / 36, 18 / 원주율 / 18, 18, 1004.4

5단계 따라서 정사각형 안에 그릴 수 있는 가장 큰 원의 넓이는 1004.4 cm²입니다.

STEP 3 P. 86

1

풀이 3.1, 7 / 3.1, 12 / 7, 7, 151.9 / 12, 12, 446.4 / 446.4, 151.9, 294.5

답 294.5 cm²

오답 제로를 위한 **채점 기준표**

	세부 내용	점수
풀이 과정	① 원 ㉮의 반지름 7 cm, 원 ㉯의 반지름 12 cm라 한 경우	2
	② (원 ㉮의 넓이)=7×7×3.1=151.9 (cm²), (원 ㉯의 넓이)=12×12×3.1=446.4 (cm²)라 한 경우	4
	③ ㉮와 ㉯ 두 원의 넓이의 차는 446.4−151.9=294.5 (cm²)임을 나타낸 경우	3
답	294.5 cm²라고 쓴 경우	1
	총점	10

2

풀이 (원 ㉮의 반지름)=12.56÷3.14÷2=2 (cm)이고
(원 ㉯의 반지름)=25.12÷3.14÷2=4 (cm)입니다.
(원 ㉮의 넓이)=2×2×3.14=12.56(cm²),
(원 ㉯의 넓이)=4×4×3.14=50.24(cm²)입니다.
따라서 ㉮와 ㉯ 두 원의 넓이의 차는
50.24−12.56=37.68 (cm²)입니다.

답 37.68 cm²

오답 제로를 위한 **채점 기준표**

	세부 내용	점수
풀이 과정	① 원 ㉮의 반지름 2 cm, 원 ㉯의 반지름 4 cm라 한 경우	3
	② (원 ㉮의 넓이)=2×2×3.14=12.56 (cm²), (원 ㉯의 넓이)=4×4×3.14=50.24 (cm²)라 한 경우	5
	③ ㉮와 ㉯ 두 원의 넓이의 차는 50.24−12.56=37.68 (cm²)임을 나타낸 경우	5
답	37.68 cm²라고 쓴 경우	2
	총점	15

제시된 풀이는 모범답안이므로
채점 기준표를 참고하여 채점하세요.

여러 가지 원의 넓이

STEP 1

P. 87

1단계 16

2단계 넓이

3단계 정사각형, 원, 뺍니다

4단계 16, 16 / 8, 8, 3.1 / 256, 198.4 / 57.6

5단계 57.6

STEP 2

P. 88

1단계 24, 5

2단계 넓이

3단계 원, 원

4단계 12, 12, 5, 5 / 446.4, 77.5, 368.9

5단계 따라서 이 도형의 넓이는 368.9 cm^2입니다.

STEP 3

P. 89

1

풀이 18 / 반원 / 18, 18, 3.14 / 508.68 / 508.68

답 508.68 cm^2

오답 제로를 위한 **채점 기준표**

	세부 내용	점수
풀이 과정	① 색칠한 부분은 반지름이 18 cm인 반원과 같음을 나타낸 경우	3
	② (색칠한 부분의 넓이)=18×18×3.14=508.68 (cm^2)라고 계산한 경우	4
	③ 색칠한 부분의 넓이는 508.68 cm^2라고 쓴 경우	2
답	508.68 cm^2라고 쓴 경우	1
총점		10

2

풀이 색칠되지 않은 부분끼리 겹치지 않게 이어 붙이면 지름이 14 cm인 원이 됩니다. 따라서 (색칠한 부분의 넓이)=(한 변이 길이가 14cm인 정사각형의 넓이)-(지름이 14cm인 원의 넓이)=14×14-7×7×3.14=196-153.86 =42.14(cm^2)입니다.

답 42.14 cm^2

오답 제로를 위한 **채점 기준표**

	세부 내용	점수
풀이 과정	① 색칠한 부분의 넓이가 한 변의 길이가 14 cm인 정사각형의 넓이와 같다고 한 경우	3
	② 14×14-7×7×3.14=42.14 (cm^2)라 한 경우	6
	③ 색칠한 부분의 넓이는 42.14 cm^2라고 쓴 경우	3
답	42.14 cm^2라고 쓴 경우	3
총점		15

P. 90

1

풀이 (노란색 부분의 넓이)
=8×8×3.14-4×4×3.14
=200.96-50.25=150.72 (cm^2)이고
(초록색 부분의 넓이)
=12×12×3.14-8×8×3.14
=452.16-200.96=251.2 (cm^2)이므로
(노란색 부분과 초록색 부분의 넓이의 차)
=251.2-150.72=100.48 (cm^2)입니다.

답 100.48 cm^2

오답 제로를 위한 **채점 기준표**

	세부 내용	점수
	① 노란색 부분의 넓이를 150.72 cm^2라 한 경우	6
	② 초록색 부분의 넓이를 251.2 cm^2라 한 경우	6
	③ 넓이의 차를 100.48 cm^2라 한 경우	6
답	100.48 cm^2라고 쓴 경우	2
총점		20

2

풀이 원 안에 그린 정사각형을 마름모라 생각하면 마름모의 두 대각선의 길이는 원의 지름과 같고, 원의 지름은 큰 정사각형의 한 변의 길이인 8cm와 같습니다. (색칠한 부분의 넓이)=(큰 정사각형의 넓이)-(원의 넓이)+(작은 정사각형의 넓이)=8×8-4×4×3.1+8×8÷2=64-49.6+32=46.4 (cm^2)입니다.

답 46.4 cm^2

오답 제로를 위한 **채점 기준표**

	세부 내용	점수
풀이 과정	① (색칠한 부분의 넓이)=(큰 정사각형의 넓이)−(원의 넓이)+(작은 정사각형의 넓이)임을 설명한 경우	6
	② 색칠한 부분의 넓이를 $8\times8-4\times4\times3.1+8\times8\div2=46.4(cm^2)$라 한 경우	7
답	$46.4\,cm^2$라고 쓴 경우	2
총점		15

3

풀이 캔 밑면의 반지름을 □ cm라 하면 □×□×3.1=111.6이고, □×□=36, □=6이므로 캔 밑면의 반지름은 6 cm입니다. ㉮에서의 곡선 부분의 합은 6 cm인 원의 원주와 같고 직선 부분은 반지름의 8배와 같으므로 사용한 테이프의 길이는 $6\times2\times3.1+6\times8=37.2+48=85.2$ (cm)입니다. ㉯에서의 곡선 부분의 합은 반지름이 6 cm인 원의 원주와 같고 직선 부분은 반지름의 12배와 같으므로 사용한 테이프의 길이는 $6\times2\times3.1+6\times12=37.2+72=109.2$ (cm)입니다. 따라서 $85.2<109.2$이므로 사용한 테이프의 길이가 더 짧은 것은 ㉮입니다.

답 ㉮

오답 제로를 위한 **채점 기준표**

	세부 내용	점수
풀이 과정	① 캔 뚜껑의 반지름은 6 cm라 한 경우	4
	② ㉮ 사용한 테이프의 길이를 85.2 cm라 한 경우	6
	③ ㉯ 사용한 테이프의 길이를 109.2 cm라 한 경우	6
	④ 사용한 길이가 더 짧은 것을 ㉮라 한 경우	2
답	㉮라고 쓴 경우	2
총점		20

4

풀이 청소기가 지나갈 수 없는 부분은 색칠된 부분이므로 한 변의 길이가 50 cm인 정사각형의 넓이에서 반지름이 25 cm인 원의 넓이를 뺍니다. (청소기가 지나갈 수 없는 부분의 넓이)$=50\times50-25\times25\times3=2500-1875=625$ (cm^2)입니다.

답 $625\,cm^2$

오답 제로를 위한 **채점 기준표**

	세부 내용	점수
풀이 과정	① 청소기가 지나갈 수 없는 부분을 설명한 경우	8
	② 청소기가 지나갈 수 없는 부분의 넓이를 $625\,cm^2$라 한 경우	10
답	$625\,cm^2$라고 쓴 경우	2
		20

P. 94

문제 하진이와 서진이는 훌라후프를 돌리고 있습니다. 하진이의 훌라후프는 지름이 100 cm이고 서진이의 훌라후프의 원주는 266.9 cm입니다. 누구의 훌라후프가 더 큰지 풀이 과정을 쓰고, 답을 구하세요. (원주율 : 3.14)

오답 제로를 위한 **채점 기준표**

	세부 내용	점수
문제	① 주어진 낱말을 사용한 경우	5
	② 조건을 문제에 모두 쓴 경우	5
	③ 더 큰 훌라후프 찾는 문제를 만든 경우	5
총점		15

제시된 풀이는 모범답안이므로
채점 기준표를 참고하여 채점하세요.

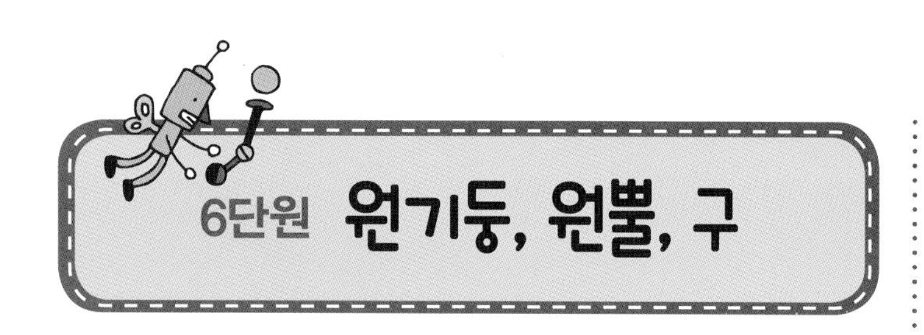

원기둥

STEP 1 P. 96

1단계 평행, 꼭짓점, 합동, 굽은

2단계 원기둥, 잘못

3단계 평행, 합동

4단계 평행, 합동, 원 / 굽은, 꼭짓점

5단계 연지

STEP 2 P. 97

1단계 원기둥

2단계 ㉡

3단계 원기둥

4단계 1, 2 / 1, 3, 1, 3 / 1, 3, 4

5단계 따라서 ㉠+㉡는 4입니다.

STEP 3 P. 98

1

풀이 지름, 가로 / 12, 12, 6 / 높이, 세로, 20 / 6, 20

답 밑면의 반지름 : 6 cm, 높이 : 20 cm

오답 제로를 위한 채점 기준표

	세부 내용	점수
풀이 과정	① 밑면의 지름은 가로와 앞에서 본 모양의 가로와 같고 원기둥의 높이는 앞에서 본 모양의 세로와 같다고 설명한 경우	3
	② 밑면의 반지름을 12 cm라 한 경우	3
	③ 원기둥의 높이를 20 cm라 한 경우	3
답	밑면의 반지름 : 6 cm, 높이 : 20 cm라고 모두 쓴 경우	1
총점		10

2

풀이 원기둥의 밑면의 지름은 앞에서 본 모양인 직사각형의 세로와 같으므로 10 cm이고 밑면의 반지름은 10÷2=5 (cm)입니다. 원기둥의 높이는 앞에서 본 모양인 직사각형의 가로와 같으므로 18 cm입니다. 따라서 밑면의 반지름은 5 cm이고 높이는 18 cm입니다.

답 밑면의 반지름 : 5 cm, 높이 : 18 cm

오답 제로를 위한 채점 기준표

	세부 내용	점수
풀이 과정	① 밑면의 지름은 가로와 앞에서 본 모양의 가로와 같고 원기둥의 높이는 앞에서 본 모양의 세로와 같다고 설명한 경우	5
	② 밑면의 반지름은 10÷2=5 (cm)라 한 경우	4
	③ 원기둥의 높이를 18 cm라 한 경우	4
답	밑면의 반지름 : 5 cm, 높이 : 18 cm라고 모두 쓴 경우	2
총점		15

원기둥의 전개도

STEP 1 P. 99

1단계 6, 12

2단계 가로

3단계 가로, 세로, 높이

4단계 12, 3.14, 37.68 / 12

5단계 37.68, 12

STEP 2 P. 100

1단계 9, 10, 3

2단계 넓이

3단계 밑면, 옆면, 더합니다

4단계 18, 3, 54 / 10 / 9, 3, 54 / 486, 540, 1026

5단계 따라서 원기둥의 전개도의 넓이는 1026 cm^2입니다.

STEP 3 P. 101

1

풀이 347.2, 16 / 347.2, 49.6 / 347.2, 49.2 / 7

답 7 cm

오답 제로를 위한 **채점 기준표**

	세부 내용	점수
풀이 과정	① (옆면의 넓이)=(한 밑면의 둘레)×(높이)라 설명한 경우	2
	② 원기둥의 높이를 □cm라 하여 347.2=16×3.1×□라 한 경우	2
	③ □=347.2÷49.2=7라 한 경우	4
	④ 원기둥의 높이는 7 cm임을 나타낸 경우	1
답	7 cm라고 쓴 경우	1
총점		10

2

풀이 (옆면의 넓이)=(한 밑면의 둘레)×(높이)이고 원기둥의 높이를 □cm라고 하면 7×2×3.1×□=434, 43.4×□=434, □=434÷43.4=10입니다. 따라서 원기둥의 높이는 10 cm입니다.

답 10 cm

오답 제로를 위한 **채점 기준표**

	세부 내용	점수
풀이 과정	① 옆면의 가로는 밑면의 원주의 길이를 이용해 식을 세운 경우	2
	② 원기둥의 높이를 □cm라 하여 7×2×3.1×□=434라 한 경우	3
	③ □=434÷43.4=10이라 한 경우	6
	④ 원기둥의 높이는 10 cm임을 나타낸 경우	2
답	10 cm라고 쓴 경우	2
총점		15

원뿔, 구

STEP 1 P. 102

1단계

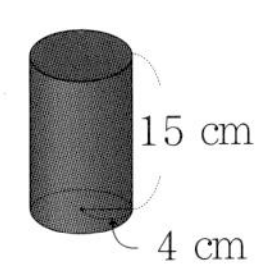

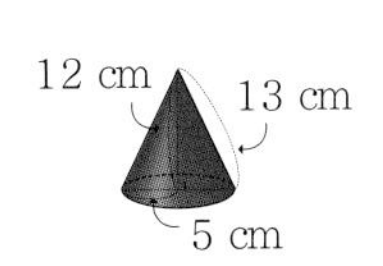

2단계 높이

3단계 수직, 수직

4단계 15, 12 / 15, 12, 3

5단계 3

STEP 2 P. 103

1단계 3, 8, 5, 6

2단계 높이

3단계 원기둥, 원뿔

4단계 원기둥, 8, 원뿔, 6 / 8, 6, 2

5단계 따라서 두 입체도형의 높이의 차는 2 cm입니다.

STEP 3 P. 104

1

풀이 구, 구, 원, 원 / 14, 7 / 7, 7, 3.1, 151.9 / 151.9

답 151.9 cm^2

오답 제로를 위한 **채점 기준표**

	세부 내용	점수
풀이 과정	① 반원 모양의 종이를 지름을 기준으로 한 바퀴 돌리면 구가 만들어짐을 나타낸 경우	1
	② 구를 위에서 바라본 모양은 원이라 한 경우	1
	③ 원의 반지름이 7 cm임을 나타낸 경우	2
	④ 원의 넓이는 7×7×3.1=151.9 cm^2임을 나타낸 경우	5
답	151.9 cm^2라고 쓴 경우	1
총점		10

2

풀이 반원 모양의 종이를 지름을 기준으로 한 바퀴 돌리면 구가 만들어집니다. 구를 앞에서 바라본 모양은 원입니다.
원의 지름은 구의 지름과 같으므로 16 cm입니다.
따라서 앞에서 바라본 모양의 둘레는 원주인 16×3.1=49.6 (cm)입니다.

답 49.6 cm

오답 제로를 위한 **채점 기준표**

	세부 내용	점수
풀이 과정	① 반원 모양의 종이를 지름을 기준으로 한 바퀴 돌리면 구가 만들어짐을 나타낸 경우	2
	② 구를 앞에서 바라본 모양은 원이라 나타낸 경우	2
	③ 원의 둘레는 16×3.1=49.6 (cm)임을 나타낸 경우	8
답	49.6 cm라고 쓴 경우	3
총점		15

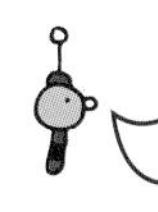

제시된 풀이는 모범답안이므로
채점 기준표를 참고하여 채점하세요.

P. 105

1

풀이 전개도에서 옆면인 직사각형의 가로는 밑면인 원의 둘레와 같습니다.

(전개도의 옆면의 가로)=6×2×3.14=37.68 (cm)

(전개도의 옆면의 세로)=14 cm

(전개도의 옆면의 둘레)={(가로)+(세로)}×2

=(37.68+14)×2=51.68×2

=103.36 (cm)

답 103.36 cm

오답 제로를 위한 **채점 기준표**

	세부 내용	점수
풀이 과정	① 전개도의 옆면의 가로는 6×2×3.14=37.68(cm)라 한 경우	7
	② 전개도의 옆면의 세로는 14 cm임을 나타낸 경우	4
	③ 전개도의 옆면의 둘레를 (37.68+14)×2=51.68×2 =103.36(cm)이라고 계산한 경우	7
답	103.36 cm라고 쓴 경우	2
총점		20

2

풀이 ㉠ 원기둥의 밑면의 모양 : 원

㉡ 원뿔의 밑면의 모양 : 원

㉢ 원기둥을 앞에서 본 모양 : 직사각형

㉣ 원뿔을 밑에서 본 모양 : 원

㉤ 구를 위에서 본 모양 : 원

㉥ 구를 앞에서 본 모양 : 원

따라서 모양이 다른 것은 ㉢입니다.

답 ㉢

오답 제로를 위한 **채점 기준표**

	세부 내용	점수
풀이 과정	① ㉠ 원, ㉡ 원, ㉢ 직사각형, ㉣ 원, ㉤ 원, ㉥ 원이라 한 경우	10
	② 모양이 다른 것을 ㉢이라고 한 경우	8
답	㉢이라고 쓴 경우	2
총점		20

3

풀이 밑면의 반지름을 □ cm라 하면 □×□×3.1=151.9, □×□=49, □=7입니다.

(한 밑면의 둘레)=7×2×3.1=43.4 (cm)이므로

(옆면이 넓이)=43.4×6=260.4 (cm^2)입니다.

따라서 원기둥의 겉넓이는

151.9×2+260.4=303.8+260.4=564.2 (cm^2)입니다.

답 564.2 cm^2

오답 제로를 위한 **채점 기준표**

	세부 내용	점수
풀이 과정	① 밑면의 반지름을 □cm라 하여 □×□×3.1=151.9라 한 경우	2
	② □=7이라 한 경우	4
	③ 한 밑면의 둘레를 7×2×3.1=43.4 (cm)라 한 경우	4
	④ 옆면이 넓이를 43.4×6=260.4 cm^2라 한 경우	4
	⑤ 원기둥의 겉넓이를 564.2 cm^2라 한 경우	4
답	564.2 cm^2라고 쓴 경우	2
총점		20

4

풀이 (롤러 한 바퀴를 굴렸을 때 칠해진 부분)=(롤러의 옆면의 넓이)=(한 밑면의 둘레)×(높이)=5×2×3.1×18 =558 (cm^2)

(롤러를 7바퀴 굴렸을 때 칠해진 부분의 넓이)=(롤러의 옆면의 넓이)×7=558×7=3906 (cm^2)

답 3906 cm^2

오답 제로를 위한 **채점 기준표**

	세부 내용	점수
풀이 과정	① 롤러 한 바퀴를 굴렸을 때 칠해진 부분의 넓이가 롤러의 옆면의 넓이와 같음을 설명한 경우	6
	② 롤러의 옆면의 넓이는 5×2×3.1×18=558 (cm^2)라 한 경우	6
	③ 페인트가 칠해진 부분의 넓이는 558×7=3906 (cm^2)라 한 경우	6
답	3906 cm^2라고 쓴 경우	2
총점		20

P. 108

문제 원기둥과 원기둥의 전개도입니다. 전개도의 넓이는 몇 cm^2인지 풀이 과정을 쓰고, 답을 구하세요. (원주율 3.1)

오답 제로를 위한 **채점 기준표**

	세부 내용	점수
문제	① 주어진 그림과 낱말을 활용한 경우	5
	② 조건을 제시한 경우	5
	③ 원기둥의 전개도의 넓이를 구하는 문제를 만든 경우	5
총점		15

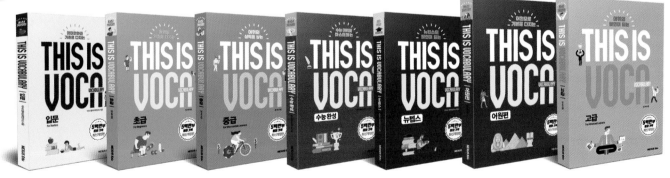

동영상 강의
무료 제공

교과 연계 초등 4학년

7권	(4-1) 4학년 1학기 과정	8권	(4-2) 4학년 2학기 과정
1	큰 수	1	분수의 덧셈과 뺄셈
2	각도	2	삼각형
3	곱셈과 나눗셈	3	소수의 덧셈과 뺄셈
4	평면도형의 이동	4	사각형
5	막대그래프	5	꺾은선그래프
6	규칙 찾기	6	다각형

교과 연계 초등 5학년

9권	(5-1) 5학년 1학기 과정	10권	(5-2) 5학년 2학기 과정
1	자연수의 혼합 계산	1	수의 범위와 어림하기
2	약수와 배수	2	분수의 곱셈
3	규칙과 대응	3	합동과 대칭
4	약분과 통분	4	소수의 곱셈
5	분수의 덧셈과 뺄셈	5	직육면체
6	다각형의 둘레와 넓이	6	평균과 가능성

교과 연계 초등 6학년

11권	(6-1) 6학년 1학기 과정	12권	(6-2) 6학년 2학기 과정
1	분수의 나눗셈	1	분수의 나눗셈
2	각기둥과 각뿔	2	소수의 나눗셈
3	소수의 나눗셈	3	공간과 입체
4	비와 비율	4	비례식과 비례배분
5	여러 가지 그래프	5	원의 넓이
6	직육면체의 부피와 겉넓이	6	원기둥, 원뿔, 구